6-9

...erend

$\mathcal{G}$ATOS

...darlos
...os

... expertos para
... tenimiento

... color de
... er entre otros

...gy Jankovics

ORIAL
ALBATROS

Contenido

Foto cubierta 2: sólo un gato puede estar tumbado completamente tranquilo a pesar de la tensión.

Prólogo

Los gatos son unas criaturas incomparables que demandan continuamente muestras de afecto. Quién no se conmueve con el donaire de sus movimientos, su afán de cariño, la suavidad de su piel, o el maullido satisfecho con el que se acurrucan en el regazo de «sus» personas. Tienen muchas cualidades que resultan admirables, pero sólo se las llega a conocer cuando se les ofrece una vida que responda a sus deseos y modos de comportamiento. En lo que toca a un adecuado mantenimiento, sobre todo en el ámbito doméstico, les informa en esta nueva guía la experta Katrin Behrend. Les ofrece consejos y trucos para la adquisición y equipamiento, para su correcta alimentación y el cuidado de su salud, y les enseña lo que hay que hacer en caso de enfermedad. También les da las pautas a seguir si el gato no está muy aseado al principio. Resulta emocionante la lectura de sus explicaciones sobre el «lenguaje de los gatos», que sirve para acercar a todo propietario aún más a su mascota. Las amplias indicaciones, fácilmente comprensibles, pueden ser puestas en práctica también por los niños. Un conjunto de sugerentes fotos, realizadas por profesionales, amantes a su vez de los gatos, y de dibujos ilustrativos, transmiten la imagen de un animal que desde hace 3500 años no ha perdido su fascinación. La autora y nuestra editorial le desean unos felices momentos con su gato.

E l gato es el símbolo de la libertad, y eso no sólo desde la Revolución Francesa. Ningún otro animal doméstico ha conservado tanta independencia al dejar su pasado salvaje. De ello no les quedará duda al convivir con gatos.

¡Observen las «Indicaciones importantes» en la página 63!

Consejos para la adquisición

Vivir con gatos

La vida al lado de un gato encierra en sí una contradicción. En una colección de escritos infantiles se reflejaba este hecho de un modo preciso. Mientras que un niño de doce años describía a su gato cariñosamente como una colina misteriosa bajo su manta, otro tenía miedo del animal porque se deslizaba alrededor suyo en mitad de la noche, aullaba como un fantasma y daba unos sustos de muerte a la gente.

Un gato es un ser complejo: el animal que ahora nos resulta dulce con una piel suave y llamativa, con unas patas sedosas, unos movimientos graciosos y unos murmullos cariñosos, dispuesto a que lo acariciemos, se muestra retraído al poco tiempo, y se aparta insensible al afecto de los humanos. Un gato es tanto lo uno como lo otro, una complicada criatura con unos esquemas de comportamiento variados, mucho más próxima a sus parientes salvajes que cualquier otro animal doméstico. Incluso cuando sigue su propio camino, no le gusta que los hombres penetren en su territorio.

Esto es lo que fascina a tantos de la convivencia con gatos, este juego de acercamiento y retraimiento, la independencia que ha conservado después de milenios de domesticación.

Un gato puede darle la forma de una cuchara a su larga y dúctil lengua y dejar limpia una escudilla de leche.

Diez preguntas antes

1 ¿Está dispuesto a cuidar entre 15 ó 20 años a su gato? Esa es la edad que puede alcanzar el animal.

2 ¿No le molestan los pelillos inevitables en la alfombra o en el sofá, o las huellas en las paredes y en los muebles?

3 ¿Se enfada si su gato devuelve en la alfombra, esparce paja de su cama por casa o juguetea alrededor de su taza? Este es el comportamiento normal de un gato.

4 ¿Acepta que a los gatos no se les pueda criar como a los perros, y que sean muy independientes?

5 ¿Está usted dispuesto, si vive en un piso, a ofrecer la suficiente variedad y distracción para compensar la imposibilidad de salir al aire libre?

6 ¿Convive con algún otro animal (como hámsters o conejos de indias, v. pág. 24), con los que el gato no pueda entenderse bien a veces?

7 ¿Qué hace con el gato durante las vacaciones?

8 ¿Da por supuesto que a un gato hay que vacunarlo de vez en cuando, y que la comida y el mantenimiento (como por ejemplo paja para dormir, una tabla para arañar, comida especial) cuestan dinero?

9 ¿Lo ha hablado con los propietarios y con los vecinos? Dado que las disposiciones legales son demasiado complicadas, no las podemos tratar en tan poco espacio. Mi recomendación es que se ponga de acuerdo con los propietarios, compañeros de vivienda y vecinos

Foto:
gatos y niños. A través del contacto con un gato los niños aprenden a respetar la personalidad del animal. Los padres han de preocuparse de que se satisfagan las necesidades de éste.

La piel de un persa es suave como la seda

antes de la adquisición, dado que los litigios a los que se puede llegar son poco reconfortantes y acaban haciendo la vida imposible a una persona mínimamente sensible, aunque se gane el juicio al cabo de años.

10 ¿Es usted o alguien en la familia alérgico a los pelos de gato? La gente alérgica no debe tener gatos.

¿Gato doméstico o de pedigrí?

Todos los gatos son hermosos, independientemente de su origen. No se necesita un árbol genealógico ni una cuidada selección de los padres para que salga un vistoso animal con unos ojos amarillos como el ámbar o de un verde intenso y un pelaje con un bonito dibujo. Si de lo que se trata es de la criatura, la distinción del pedigrí es innecesaria.

El gato doméstico es un gato ordinario que no ha sido criado conforme a ninguna regla. Pueden ser de todos los colores, esbeltos o redondeados, temperamentales o pensativos; es decir, lo que importan son las inclinaciones de cada uno.

El gato con pedigrí es el resultado de una larga selección genética. La cría de gatos sistemática se practica en el mundo entero desde hace unos cien años (v. razas de gatos, pág. 43), y por un animal así hay que pagar bastantes miles de pesetas. Básicamente, las diferentes razas se diferencian menos entre sí que, por ejemplo, las de los perros. En general, se puede decir que los persas son más juguetones que los siameses. Por otro lado, a un gato de pelo largo hay que dedicarle más tiempo al cuidado de su pelaje.

Dónde adquirir el gato de su elección

El gato doméstico
- A través de amigos o vecinos.
- A través de un anuncio del periódico.

El gato con pedigrí
- En residencias de animales.
- En tiendas de animales o en la sección de unos grandes almacenes
- A través de un criador. Para informarse se puede preguntar a la asociación más próxima de criadores.
- En una exposición.

Convivir con un gato significa aprender a comprender su lenguaje. Por ejemplo, comprender a través de los gestos de su cara que se está haciendo algo que no le gusta. Si no, se pueden sufrir dolorosas experiencias con sus uñas.

Con la cola levantada y la cabeza estirada, el gato saluda a «sus» personas. Al mismo tiempo arrulla y quiere ser acariciado.

¿Hembra o macho?

En lo que respecta a mi experiencia personal, no he obsevado diferencias específicas de comportamiento según el sexo. Después de que mi gato muriera, y mi gato birmano Nina se aventurara peligrosamente entre los coches, opté por una gatita. Quizá Matilda no sea tan cariñosa como sus predecesores, pero es igual de atrevida y desenfadada en su carácter sociable.

Primera consideración:
Una gata alcanza su madurez sexual entre el sexto y el duodécimo mes de vida y se pone en celo dos o tres veces al año. Si puede salir al aire libre, se le presentarán a menudo pretendientes. Por el contrario, en la vivienda, donde normalmente no tiene ninguna oportunidad de encontrar un gato, puede desarrollar un celo prolongado.

Un gato alcanza la madurez sexual a la edad de nueve meses y marca su territorio esparciendo orina por todas partes. En casa huele fatal.

Mi consejo: si castran al gato, evitarán todos estos problemas desde un principio (v. pág 18).

Determinación del sexo: en el gato la distancia entre el ano y la abertura sexual es más grande que en la gata. Este orificio es redondo en los machos y alargado en las hembras (v. dibujo).

¿Uno sólo o la parejita?

Depende de cuánto tiempo quieran dedicar a su gato. En cualquier caso, dos se aburren menos. Ello no significa que tengan que representar mucho más trabajo que uno, ni siquiera en un piso. Si congenian bien, ambos se mantienen activos mutuamente, juegan y retozan o

En una cría hembra (izquierda) ya se puede ver que la distancia entre el ano y los órganos sexuales es menor que en un gato (derecha).

luchan entre sí. No por esto marginan a «sus» personas. Matilda se levanta cada mañana de donde duerme para saludarme al despertar. Y Nina siempre está dispuesta a darme un «besito» cuando le pongo la mejilla. Hay varias posibilidades:
- dos hermanos de una misma camada,
- un gato mayor que otro,
- dos gatos adultos; en este caso se precisa una gran sensibilidad para que se acostumbren a convivir, y suficiente espacio en el piso para que cada uno pueda delimitar su propio territorio (v. Los gatos en pisos, pág. 18).

La edad del gato

Al adquirirlo, conviene que el gatito tenga por lo menos ocho semanas, mejor aún doce. Hasta entonces depende de la madre para aprender las cosas importantes como limpieza (fundamental en un gato que viva en un sitio cerrado) o cazar ratones (deseable en un gato que viva en un jardín o en el campo), y poder valerse por sí mismo, para acomodarse al

No es casualidad que se diga que los gatos tienen siete vidas. Sorprende el sinfín de situaciones de las que salen ilesos. Pero conviene no confiar excesivamente en este dicho y evitar los peligros (v. pág. 19).

Cartujo

Gato Van turco

Habana marrón

Birmano seal-point

Maine-coon rojo jaspeado

Fotos:
diferentes gatos de pelo corto y semilargo. El aficionado puede admirar la enorme variedad de razas en las exposiciones. Éstas se diferencian en esencia bastante menos que las de perros.

Abisinio

Maine-coon tabby marrón

Siamés tabby-point chocolate

9

nuevo entorno. Mi gato doméstico Matilda vino a parar a mi regazo con sólo seis semanas. Me sorprendió por su «fuerte temperamento», no lloriqueaba por la madre o los hermanos, trepaba con ánimo a la bacinilla y aceptó el nuevo ambiente lo que se dice sin pestañear.

Cuidados en vacaciones

Hay varias soluciones.

Dejarlo en casa: los gatos donde mejor se sienten es en su ambiente. Necesitan una persona que se ocupe de ellos una o dos veces al día para darles de comer, limpiarles la bacinilla y que se les dedique el tiempo suficiente a juegos y caricias. Pídales a sus vecinos que se encarguen de estas tareas. A veces se ofrecen cuidadores de gatos en la sección de anuncios clasificados de los periódicos.

Llevárselo consigo: pueden acostumbrar a su gato a viajar. De todas formas, un lugar nuevo cada vez que se va de vacaciones causaría un gran trastorno al animal. Pero si se veranea siempre en la misma casa no hay problema, menos aún si allí puede salir al aire libre y en casa no. Según mi experiencia esto va bien siempre que se respeten las reglas necesarias de comportamiento (v. El gato en libertad, pág. 23). En el coche sólo debe dejar salir al gato de su cesta si permanece sentado en su sitio tranquilamente. Ojo al abrir puertas y ventanas y siempre llevarlo sujeto de la correa. Si el viaje es largo, no darle de comer seis horas antes, ni mientras dure la travesía, para controlar su digestión. Además, hay que considerar la excitación del viaje, como yo mismo he podido comprobar. Nina aguanta hasta diez horas sin su bacinilla. Pero

La cesta con forma de cueva sirve a la vez de transporte para el viaje como para la visita al veterinario.

como en este punto no he podido constatar ninguna regla fija, les aconsejo tener lista una palangana de plástico con paja. Con las altas temperaturas el gato tiene que beber agua, aunque no demasiada.

No olviden que para cruzar las fronteras es necesario el certificado de vacunación. Información detallada se la puede facilitar su veterinario o las autoridades sanitarias (buscar en la guía telefónica).

Encomendárselo a otro: dejárselo a un amigo es el trastorno menor. Una residencia de gatos es conveniente visitarla primero y charlar con el

El gato ofrece la «cabecita» para mostrar cariño. Luego la frota contra el compañero, bien sea contra la mano del hombre o el hocico del perro.

encargado. Allí se requieren todas las vacunaciones (v. pág. 30). Infórmese también en las residencias de animales.

Todo lo que el gato necesita

La cesta

Una cestita acolchada con cojines o mantas lavables no se la querría perder ningún gato. La más apropiada es una en forma de cueva y una rejilla de metal, a la venta en cualquier tienda de animales. Debe colocarse en un lugar estable y dejarse allí.

Consejo: también la puede utilizar como cesta de viaje o para las visitas al veterinario.

Una caseta sencilla la puede construir uno mismo. Ventaja: puede ser renovada fácilmente y de un modo barato cuando esté sucia.

Instrucciones

• Preparar una caja de cartón en la que el gato se pueda estirar cómodamente. No hay que dejar ningún lado sin pegar.

• Hacer una o dos aberturas redondas de unos 20 cm de diámetro.

• Forrarla por fuera con restos de alfombras o de papeles pintados para que tenga un aspecto más bonito.

• Acolcharla con cojines o mantas. De todas formas, la cestita más tentadora, la caseta más confortable se puede convertir en un trasto inservible si a su gato se le ha metido en la cabeza descansar en la almohada de la niña o en el sillón de papá. Pone tanto empeño en esos caprichos que resulta imposible quitárselos. El gato tiene una tendencia natural a ir por su propio camino. Usted, como cuidador, tiene que mostrar comprensión.

El servicio

Al servicio no se puede renunciar, incluso cuando el gato sale libremente al aire libre. Los vecinos reaccionan lógicamente con enorme enfado cuando el animal elige sus cuidadas flores o verduras como retrete (v. El hogar por antonomasia, pág. 54). Servicios para gatos se encuentran en formas diversas en las tiendas especializadas.

Palangana de plástico sencilla: 42 x 32 x 9 cm. Sirve también para los viajes.

Palangana de plástico con el borde levantado: 50 x 38 x 14 cm. En este tipo la paja no se sale con tanta facilidad.

Casa retrete con cajón: 52 x 36 x 37 cm. El tipo más higiénico, pues hay gatos que orinan de pie.

Paja de gatos: atrae por el olor y tiene que ser, naturalmente, carente de amianto (¡fijarse en las etiquetas!). Viene en paquetes de entre 7 y 20 kg. Desde hace poco se encuentra también en las tiendas paja biológica, que tiene la particularidad de no perjudicar el medio ambiente y se puede echar en las deposiciones. No es mala idea si emplea en el cuidado de su gato mucha paja.

Árbol y tabla para rascar

Los gatos tienen que afilar sus garras. Para que no se ensañen con sus paredes, sus alfombras o sus muebles, necesitan un árbol o una tabla. Esto es fundamental para un gato que viva en un piso. No obstante, mi consejo es que ofrezca

Este práctico «árbol», de venta en tiendas de animales, invita a hacer piruetas, afilar las uñas y acurrucarse en el pequeño habitáculo.

11

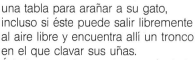

Pataleos como preliminar.

De espaldas para la defensa.

una tabla para arañar a su gato, incluso si éste puede salir libremente al aire libre y encuentra allí un tronco en el que clavar sus uñas.

Árbol para arañar: en la mayoría de los casos se agranda para poder trepar y acomodarse allí. El tronco se forra con cáñamo de pita. Las superficies y los huecos a distintas alturas en los que el gato pueda acurrucarse invitan a trepar y a descolgarse (en las tiendas encontrarán diversas variantes). Dos gatos pueden jugar aquí maravillosamente. El árbol tiene que ser estable. Lo ideal es sujetarlo en el suelo, en la pared o en el techo con un componedor.

Mi consejo: la próxima vez que salga a pasear por el bosque busque algún árbol caído. Una sólida rama bien ensortijada le puede servir a la perfección.

Tabla: se tensa con cáñamo de pita corriente y se clava en las jambas de la puerta tan arriba como alcance el gato al erguirse.

Mi consejo: no se conforme con un resto de alfombra o con un trozo de cartón porque le resulte más barato de momento. No merece la pena; el gato lo desgarrará en un abrir y cerrar de ojos y proseguirá con sus muebles. Si quiere ahorrar, forre un tambor de detergente vacío y limpio con restos de alfombras. Ofrece a la vez un escondrijo ideal.

Escudillas para comer y beber

Conviene que sean lo más pesadas y estables posible, lo mejor es que sean de arcilla vidriada o de porcelana (a la venta en tiendas de animales). Con las escudillas ligeras, de plástico por ejemplo, puede ocurrir que el ruido

12

Ahora se intenta el ataque.

de un comedero arrastrado por toda la vivienda le haga despertar. Depende del temperamento de su gato.
Se utilizan dos o tres escudillas: una para la comida fresca, otra para la seca y otra para el agua.

Hierba para gatos

Estos animales, y sobre todo los de pelo largo, necesitan «verde», probablemente para escupir los pelos que se han tragado al limpiarse. Los gatos encerrados en pisos arremeten contra los tiestos y les encanta comer sobre todo juncia *(Cyperus alternifolius)*. Dado que hay muchas plantas venenosas para los gatos (v. Todo lo que le puede pasar a un gato, pág. 19), hay que procurar que no las anden royendo. Acostumbre a su gato a la hierba especial que usted mismo puede cultivar en un tiesto. En las tiendas se pueden comprar cajitas con hierba sembrada. Maro o también hierba gatera *(Nepeta cataria):* contiene un aceite etéreo, cuyo aroma causa una sensación de intenso bienestar al gato. Este efecto es conocido por los cuidadores de gatos desde hace siglos. Los animales entran en una especie de éxtasis, husmean la planta, la lamen y la mastican con creciente entusiasmo, la muerden, se restregan las mejillas y la barbilla contra ella, lanzan altos gemidos y realizan cabriolas. Este estado dura entre cinco y quince minutos y no es beneficioso ni perjudicial para el gato. Esta planta la pueden cultivar en su jardín si es que no crece por sí sola. El extracto para rociar juguetes o huesos se vende en las tiendas

Fotos:
peleas en broma. Los juegos de los gatitos no son otra cosa que una práctica de posteriores pautas de comportamiento: deslizamiento, acecho, persecución, captura, mordisco y salto sobre la presa.

13

especializadas. La valeriana tiene un efecto similar.

Peine y cepillo

Los gatos de pelo corto sólo necesitan ser cepillados cuando cambian de pelo para que no traguen demasiados pelos muertos. Los de pelo largo, por el contrario, necesitan un cuidado de la piel continuo, ya que, de otro modo, se les enreda la pelusa y peinarlos se convierte en un tormento.

Además es necesario:
Para gatos de pelo corto y largo
1 cepillo semicircular con cerdas duras, aunque no demasiado.
Sólo para los gatos de pelo largo
1 peine de metal de púas grandes
1 peine de metal de púas finas
1 cuchillito para separar los nudos
1 paño de cuero basto, que dé el brillo final a la piel.

Juguetes

Los necesitan sobre todo los gatos que viven en pisos, al no poder desarrollar sus actividades de caza y juego con la presa normalmente. Las tiendas de animales ofrecen una variada gama de ratoncitos, pelotas con y sin cascabel, huesos para mascar y muchas otras cosas. Rollos de hilo vacíos, ovillos de lana, corchos, techumbres de papel de periódico y cajas vacías también sirven. Al inventar nuevos juguetes no se ponen límites a su fantasía ni a la de su gato.

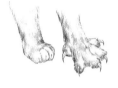

El gato posee unas bolsitas en las piernas delanteras que le permiten recoger las uñas. De esta forma permanecen siempre punzantes como una aguja.

La correa

Un gato no es como un perro, al que se le puede llevar atado sin problemas. Eso no quita para que a un gato joven se le pueda acostumbrar a ir de la correa. Puede ser útil en algunos momentos, por ejemplo, al ir al veterinario o en los viajes (v. Cuidados en vacaciones, página 10).

Lo más práctico es un arnés que va sujeto al pecho y al estómago y no amenaza con ahogar al animal si éste se revuelve. Un simple collar con un enganche para los gatos que exploran los alrededores sin que nadie los vigile no debe carecer de un cable de plástico para que no se estrangulen al quedar colgando.

Los gatos tienen la necesidad natural de afilar sus uñas. Al aire libre tienen siempre un árbol a punto. En casa necesitan una tabla.

La vida con el gato

Al principio es todo nuevo

Ya se ha hecho la elección y usted puede llevarse el gato a casa. Para tal efecto viene bien una cesta (v. pág. 11), que de este modo se convierte en el primer refugio en el nuevo hogar. Una vez en casa coloque la cesta en su sitio, abra la rejilla y ofrézcale al gato la oportunidad de que se aclimate a su nueva casa. Tenga en cuenta que un gatito joven tiene que recuperarse del choque que supone la separación de la madre y los hermanos. En el caso de un gato mayor, que puede haber adquirido en una residencia de animales, necesita más tacto aún. A ambos tiene que darles tiempo y tranquilidad para que capten su nuevo entorno con todos los sentidos, ofrézcales un poco de su comida favorita, sobre la cual ha de haberse informado previamente, y tenga paciencia. Pronto asomará el gato con curiosidad y oteará el nuevo paraje. Con cautela, apoyándose sobre su panza, se arrastrará junto a las paredes, se esconderá bajo el sofá, el sillón, o el armario, de donde no debe tratar de sacarlo a la fuerza, bien sea tirando de él, o empujándole con la escoba. Más hábil es susurrarle cosas y repetirle su nombre con insistencia.

Adaptación según el carácter

El atrevido

Es el que menos dificultades tiene. Quizá haga como mi gato Morellino, que ya me llamó la atención entre su camada por su descaro. Entró en casa como un conquistador y rápidamente tomó posesión de lugares concretos. Ni siquiera los rugidos de Nina, que señoreaba el territorio desde hacía cinco años, pudieron detenerle.

Para llevar al gato lo mejor es colocarlo sobre el brazo, con sus piernas traseras apoyadas, y la otra mano sujetándole.

El tímido

Es retraído por naturaleza y evita a las personas por precaución. Deje que se acostumbre a una habitación por la que muestre especial aprecio. En cuanto escape de su mano, está roto el maleficio. Los gatos así son especialmente dependientes de «sus» personas, pero rehuyen a las demás.

El pusilánime

Ya ha tenido malas experiencias con los humanos. Trate de averiguar a qué tiene miedo. Puede tratarse de movimientos, ruidos, mucho barullo en la familia u otros animales domésticos, como perros o papagayos. No ejerza ninguna presión y permítale siempre la retirada a su escondrijo. Necesita mucha tranquilidad y no debe ser asustado con acercamientos repentinos. Eso le haría más tímido.

El salvaje

Este consejo se dirige a aquellos que recogen un gato huérfano y no saben qué le ha deparado la vida. Quizá tuviera que apañárselas él solo y haya desarrollado las características de un gato salvaje. A un amante de la libertad como él le cuesta adaptarse a los humanos. Déle de comer con regularidad, no trate de agarrarle y muestre un comportamiento uniforme a lo largo del día para que sepa a qué atenerse.

Madriguera en el heno

Limpieza

Un gato es limpio por naturaleza, hace sus necesidades a escondidas y trata de taparlas para que no dejen rastro. Todo esto se adecúa a los deseos de pulcritud en la vivienda de la gente. En cualquier caso, hay que cumplir con los requisitos.

Lugar para el servicio: retrete, baño, sitio tranquilo y escondido.

Mantenimiento: esparcir paja de gatos hasta una altura de 4 cm. Retirar los excrementos y la paja húmeda con una paleta cada día y reponer la paja. Recoger toda la paja en una bolsa una vez por semana (por lo general con eso basta) y llevarla a la basura. ¡Nunca tirarla por el retrete! Lavar la bacinilla y secarla. No utilizar ningún detergente o desinfectante, porque los gatos no pueden oler esto y pueden rehusar el servicio que les ha dispuesto. Luego se vuelve a llenar de paja seca.

Nota: cuando dos gatos utilizan el servicio, su digestión se hace más agitada. Tiene que cambiar la paja más a menudo o instalar otro servicio.

El gato no está limpio

Si deja sus huellas una y otra vez fuera del servicio, puede haber varios motivos.

• Sufre una alteración del comportamiento. En este caso todo es inútil.

• La clave está en el servicio. Cambie, por el siguiente orden, el lugar del servicio, la paja, la cantidad de paja y el ritmo de cambios de paja.

• El gato tiene sentimientos amorosos. Los machos y las hembras orinan por todas partes para atraer a la pareja. Con la castración se acaba el problema.

Vista desde el tejado

• El gato está irritado. Se esfuerza en defender con el olor la posesión, amenazada por muebles nuevos o gente desconocida, por ejemplo. Trate de fortalecerle la conciencia individual de sí mismo dedicándole mucha atención y tratando al mismo tiempo de hacerle repudiar el lugar ensuciado. Para ello, después de limpiar la micción con jabón de piedra y agua o vinagre, rocíelo con esencia de melisa o de toronjil, un aroma que odian casi todos los gatos.

Fotos:
en casa, pero libre.
En la granja el gato busca cobijo en el establo y en el heno. También el jardín, el prado y los caminos en derredor pertenecen a su «propiedad personal».

17

Insultarle, gritar o meterle el hocico donde ensucia, como se hace con los perros, no serviría para nada y le trastornaría todavía más.

Nota: ¡no utilizar soluciones detergentes que contengan amoniaco! Contienen sustancias con un olor similar al de la orina y provocarían que su gato volviera a dejar su propio aroma en el lugar limpiado.

Castración

Esta operación, por despótica que pueda resultar, se hace necesaria si en su cuidada vivienda se las tiene que ver con un gato que está constantemente marcando su rastro o con una hembra en celo casi permanente que turba su descanso nocturno con una quejumbrosa llamada (v. Hembra o macho, pág. 7). La intervención la realiza el veterinario valiéndose de narcóticos. El animal puede ser llevado a casa a continuación. Deje que se reponga de los efectos del aturdimiento en su rincón preferido y tenga cuidado de que no se deje desafiar en seguida a alguna competición acrobática. Por

lo demás, no conozco otros cuidados especiales.

El gato es castrado entre el octavo y el décimo mes de vida, una vez que haya alcanzado la madurez sexual. En la operación se le amputan los testículos. La gata es intervenida después del primer celo (v. pág. 36). Este momento llega entre el sexto y el duodécimo mes. Más tarde también es posible, por ejemplo, después del primer parto. A ella se le amputan los ovarios. Dado que el corte es cosido, hay que volver al veterinario a los ocho días para quitarle los puntos.

Esterilización: con esto sólo se consigue hacer infértiles al macho o a la hembra, es decir, se les separa el conducto espermático o las trompas uterinas. Tras la intervención, el deseo sexual se mantiene con todos sus molestos efectos secundarios (orines, maullidos, intranquilidad, deambular), lo cual complace al gato, pero no da lugar a ninguna distensión en el hogar.

La píldora: se recomienda sólo para interrumpir el celo de gatas reproductoras, pero no se debe administrar durante un periodo muy largo, ya que perjudica a la matriz.

Los gatos en pisos

Por supuesto que un gato prefiere correr libre por la naturaleza a estar encerrado en una vivienda. Pero cuando se acostumbra desde pequeño, la vivienda es aceptada por él como su territorio, igual que lo pudiera ser un espacio abierto. Para él es importante, a pesar se toda su independencia, la estrecha relación con «sus» personas o con otro gato con el que comparta el territorio. Por lo demás, el mismo comportamiento que se le puede observar en libertad lo desarrolla hasta en la más pequeña vivienda.

La casa retrete con cajón es la opción más higiénica y se recomienda especialmente para aquellos gatos que orinan de pie.

Se debe limpiar las partes exteriores de las orejas una vez por semana. Utilice bastoncillos de algodón mojados en aceite. Las bolitas oscuras son síntoma de contagio de ácaros y requieren tratamiento médico.

Todo lo que le puede pasar a un gato

Peligro	Causa	Evitar el peligro
Caídas	balcón, ventanas abiertas	asegurar con alambre o red de nailon
Aprisio-namiento	puertas	no abrir y cerrar despreocupadamente
	ventanas basculantes	mantener cerradas o cubrir el espacio con una red de nailon
	sillas talladas	son preferibles las sillas sencillas
	detrás y debajo de armarios	vigilar a los gatitos pequeños
Disparos	a los cazadores les está permitido disparar a los gatos que estén a más de 200 m de la casa más próxima	difícil de evitar; hablar con los cazadores
Ahogo	bolsas de plástico, en las que se introduce y luego no puede salir	no dejarlas sueltas
	armarios en los que puede quedar encerrado	
Atropellos	coches, motos y máquinas agrícolas	en principio no se puede evitar; cercar el jardín; disminuir el vagabundeo mediante la castración
Quemaduras	hornillos	cubrir con tapas
	planchas	desconectarlas antes de marcharse
	secadoras	no perderlas de vista
	velas	¡cuidado! Los gatos pueden asustarse.
	cigarrillos	no dejar cigarrillos y colillas a mano
Heridas	alfileres y agujas que el gato puede pisar y tragarse	no dejar a su alcance
	anillos de caucho	no dejar a su alcance
	perros	inevitable
	alambradas	inevitable
Venenos	plantas (muchas, tales como el ciclamino, la azalea, la hiedra, el sábalo, los narcisos y los claveles); preguntar al floristero o consultar libros especializados	los gatos sólo roen por instinto plantas inocuas; apartarlas de los gatos inexpertos
	detergentes	todo lo que resulta peligroso para los niños, lo es para los gatitos.

Primero lo intenta con el hocico

Luego se ayuda con la pata

El hogar por antonomasia (v. pág. 54) es el eje de su vida. Como tal escoge toda una habitación; en ocasiones, sólo un pequeño rinconcito. Le gusta poseerlo a él solo, aunque de vez en cuando también lo comparte con la pareja correspondiente. En este punto mis gatos se comportan de una manera muy diferente. Nina, una gatita muy delicada, encuentra la horma de su zapato en el estrecho habitáculo de la calefacción, al cual no la puede seguir nadie más. Morellino seleccionó la silla de mi escritorio y no le importaba que yo me sentara en la esquina delante de él. Matilda, por su parte, adora saltar al armario de la cocina. Desde allí tiene una buena vista.

El hogar secundario (v. El territorio, pág. 55) es el resto de la vivienda, por el que corre, juega, se encuentra con otros habitantes o busca escondrijos. Se pueden observar límites incluso y caminos por los que un gato permite a otro que los rebase. En este caso, los dos se saludan con un control de nariz y la cola levantada.

Mudanza: el gato tiene que acostumbrarse a un nuevo territorio. Póngaselo fácil con lo siguiente

• hasta que pase el jaleo dejando al animal con sus cosas (cesta, servicio) en una habitación vaciada previamente,

• luego acompáñele por la nueva vivienda,

• vuelva a dejarle con sus cosas en una habitación todavía vacía,

• una vez que la vivienda esté limpia, lleve al gato al nuevo lugar de su servicio

• y permítale inspeccionar el entorno desconocido animándole.

El juego con el gato

Un gato solo en un piso se muere de aburrimiento. Su naturaleza cazadora acapara todos sus sentidos. Si no puede utilizarlos, se pasa el día holgazaneando de un lado para otro. Ocúpese de su gato, juegue con él al escondite o a persecuciones, tire de un hilo con un ratón en la punta, o lance bolas de papel de periódico, que producen un crujido muy agradable. Cuando Matilda tiene

Ya está la tapa levantada

ganas de jugar, saca un ovillo de la cesta de las lanas y lo desenrolla por toda la casa. Así, cuando yo me pongo contrariada a enrollarlo ella persigue enloquecida el hilo cada vez más corto.

Dos gatos

La vida al lado de dos gatos no supone en ningún caso más trabajo. Juntos se aburren menos, se acarician y se lamen, pero también se pelean. A veces pueden armarse verdaderas trifulcas.

Los hermanos de una misma camada se entienden desde el principio. Si se trata de una parejita, tiene que tener claro que vendrán nuevas crías hasta tres veces al año. El remedio es la castración.

Un gato mayor, que sea dueño del territorio desde hace más tiempo, y un gato joven pueden llegar a acostumbrarse el uno al otro. No se

21

	Lo que el gato hace por sí mismo	Lo que hace el hombre
Pelaje	Se limpia el pelo paciente y concienzudamente con la lengua	Cepillar a los gatos de pelo corto en la época de la muda de pelo; Cepillar y peinar a los de pelo largo diariamente para que no se les enrede el pelo
Uñas	Afila sus uñas con abnegación en árboles o tablas	Cortar una o dos veces al año las puntas de las uñas sin venas con unas tenazas especiales de venta en tiendas de animales
Dientes	Utiliza sus dientes para desgarrar trozos de carne, y para roer y morder huesos	Procurar una alimentación correcta, y darle pequeños huesos o huesos de cuero de bisonte (tiendas de animales) para morder; si no, hay peligro de caries, Si se presenta la caries así todo, recurrir al veterinario.

Juguetes como este ratoncito se pueden adquirir en tiendas de animales. Un ovillo de lana lo tiene todo el mundo en casa.

debe recortar los derechos del mayor en favor del recién llegado. De la misma manera, hay que seguir con las mismas caricias que hasta el momento, disponer escudillas separadas y, si es necesario, retretes separados.

Dos gatos mayores. Hace falta mucho espacio para que se puedan evitar. Reparta su cariño de un modo equitativo, y no se desilusione si no llegan a congeniar.

Educación

Un gato no permite que le eduquen, sino que se establece un pacto basado en la reciprocidad. Tampoco se puede decir que un gato le educa a usted para que permita sus caprichos.

Responder al nombre: repítale al gato su nombre cuando lo acaricie, le de comer y en las demás ocasiones agradables. Pronto lo memorizará y se presentará corriendo al oír su nombre, sobre todo cuando haya algo bueno de comer.

Arañazos: dado que usted no querrá que el gato se ensañe con los papeles pintados de las paredes, las alfombras o el sofá, ha de acostumbrarle a que arañe el mueble provisto para tal efecto. En cuanto empiece a clavar sus uñas en un lugar prohibido, llévele con un rotundo «¡No!» a la tabla de arañar. Póngale de pies frente a ella y frote sus patas contra ella de arriba a abajo. Rasque también con sus propias uñas; el ruido pone curioso al animal, que lo intenta a su vez. Sólo depende de su tenacidad el que el gato se acostumbre a arañar donde usted quiere.

Dormir en la cama: si no le gusta que duerman animales en su cama, tiene que cerrar la puerta del dormitorio. De otro modo, es imposible impedir que el gato se refugie en el lugar más confortable de casa.

El gato lame y limpia su piel muchas horas al día. No sólo se protege de la suciedad y de las enfermedades, sino que aparta olores extraños y combate tensiones. Esto se denomina limpieza represiva.

LLoriqueos: no todos los gatos lloriquean, pero si el suyo tiene esta molesta costumbre, es imposible quitársela, sobre todo durante las comidas. Ninguno de mis gatos lloriquea de un modo tan conmovedor como lo hace Nina. Yo me veo obligada a impedirle la entrada a la cocina, donde está su escudilla. Esta debería estar llena normalmente. Desde la mesa no se debe dar de comer a ningún animal por principio.

Robar: tampoco esto es común a todos los gatos. Pero si roba, es imposible quitarle la costumbre del todo, ni siquiera con gritos y bofetadas. Mi primera gata, Miau-

Miau, era una cleptómana incorregible. No sólo abría todas las puertas, sino que «levantaba» las tapas de todas las cazuelas, a no ser que fueran demasiado pesadas o estuvieran enroscadas. Cuando la sorprendía con las manos en la masa, mis palmadas y mi severo «¡No!» le resultaban desagradables, por supuesto, pero en este punto era incapaz de escarmentar. Mi consejo, por tanto, no dejar nada comestible ni ninguna cazuela a mano.

Llevarlo con correa: con unos tres meses el gato se acostumbra a llevar un arnés (v. La correa. pág. 14). Al principio dejarse llevar por él hasta que alcance el lugar deseado.

El gato en libertad

Deje salir a su gato al aire libre una vez que se haya aclimatado bien en su casa, y permanezca cerca de él mientras explora el nuevo entorno al tiempo que se arrastra sobre el lomo y olfatea cada hierba y cada piedra. Pronto reclamará como propio este nuevo territorio. Ocúpese de que tenga la posibilidad de retirarse en cuanto surja algo que le inquiete. Normalmente escapará a un lugar que le sea familiar.

En los juegos el gato practica pautas de conducta y movimientos necesarios para sobrevivir. Lo necesitan para su profesión de cazadores.

Relación con otros animales domésticos

Especie	va bien	va bien sólo a veces
Perros	dos animales que crecen juntos desde pequeños; perro adulto y gato joven	gato adulto y perro joven
Conejillos de Indias y hámsters		son presas codiciadas
Conejos enanos		son perseguidos y pueden quedar malheridos
Periquitos, canarios		se los pueden comer
Papagayos, loros		se celan y hieren al gato con sus picos o éste a ellos

Una puerta basculante como ésta permite al gato entrar y salir libremente. Se puede instalar en el sótano, sin peligro a los ladrones.

La puerta del gato: es muy recomendable. A través de ella el gato puede abandonar la casa y volver a ella en cualquier momento. Las tiendas de mascotas ofrecen los más diversos modelos, fácilmente instalables en puertas y recientemente también en ventanas.

Seguridad en el jardín: no le ponga a su gato demasiado fácil la salida del jardín. Una aventura así puede desembocar en la muerte. Una posibilidad es colocar una cerca de alambre de dos metros de alto doblada por arriba hacia dentro para que no le permita trepar por ella al gato. No debe haber cerca árboles altos. Hable primero con su vecino al respecto.

Mi consejo: castre a su gato. Con ello se consigue que vagabundee menos y que se haga más casero.

Tatuajes: desgraciadamente el robo de gatos para experimentos de laboratorio es una triste realidad. La protección más segura contra semejantes desaprensivos es un tatuaje. Lo realiza el veterinario con ayuda de narcóticos y una pistola o unas tenazas en la cara interior de la oreja. El código del tatuaje es fácil de descifrar.

Oreja izquierda: municipio y año.
Oreja derecha: veterinario y número de tatuaje.

Seguidamente hay que inscribir al animal en el registro de animales domésticos del organismo correspondiente de protección animal de cada país. La mayoría de los centros que realizan pruebas con animales se han comprometido a rechazar animales tatuados o a notificarlos sin demora.

El lengüetazo a veces es síntoma de irritación.

La alimentación

Los gatos son animales de presa. Esta característica natural no se perdió al convertirse en animales domésticos. Su organismo y su forma de vida están adaptados a la vida en libertad. En la naturaleza se alimetan de carne y en las presas engullidas, ratones, pequeños roedores, lagartijas e insectos, con piel y pelos incluidos encuentran lo que necesitan: alimentos concentrados consistentes en carne muscular, hígados, huesos, vísceras, así como sustancias minerales y vegetales del estómago y de los intestinos. El agua fresca y determinadas hierbas completan su dieta. La digestión viene regulada por piel y huesos, sustancias pesadas que se encuentran en sus presas. Los gatos que no van a la caza de ratones tienen que ser alimentados de un modo adecuado. Formular reglas generales no resulta tan fácil y

Dos escudillas al menos son indispensables: una para la comida y otra para el agua.

¡Tengo hambre! El gato ronronea en torno a sus «personas» y les entrelaza la cola entre sus piernas.

responder a la pregunta de si se debe alimentar al animal exclusivamente con piensos preparados o con comida fresca nunca se podrá dar una respuesta definitiva.

Piensos

Al menos en éste punto están de acuerdo los expertos: el pienso contiene todo lo que un gato necesita para una sana alimentación. Además se puede almacenar y es práctico para los viajes. El contenido en albúmina, grasas, hidratos de carbono, vitaminas y elementos marginales está acomodado a la alimentación de un animal de presa. En cualquier caso, a la hora de comprar hay que estar siempre alerta. Los fabricantes serios se preocupan de que sus productos contengan sólo ingredientes de alto valor nutritivo, pero también hay «ovejas negras» que no se toman esto tan al pie de la letra.

El pienso enlatado, adquirible hoy en día en cualquier parte, tiene un alto valor nutritivo y está disponible en los sabores más variados. Los sabores a conejo, pollo, atún, ternera, hígado y otras muchas posibilidades permiten configurar el menú de un modo bastante variado.

El pienso seco constituye también un compuesto de alto valor nutritivo concebido especialmente para gatos, si bien carece por completo de agua, a diferencia del pienso enlatado. Los gatos alimentados así necesitan beber mucho y tienen que tener a mano siempre una escudilla con agua fresca. Masticar algo duro es bueno para los dientes, pero este tipo de pienso para roer sólo debe administrarse raras veces como complemento. Los gatos que comen pienso seco beben más que los que lo consumen húmedo (v. La bebida adecuada, pág. 28), pero la cantidad de agua a la larga no suele bastar para compensar la falta de humedad. Pueden sufrir trastornos sobre todo los gatos castrados que tengan predisposición a crear arenillas en la urea o sufran retenciones de orina, que suelen acabar con la muerte.

Comida casera

Para dar variedad a la dieta de latas se puede preparar uno mismo el pienso. En ese caso tienen que fijarse en el equilibrio de sustancias nutritivas,ya que una alimentación sólo a base de carne podría ocasionar deficiencias. El hígado sólo puede tener como consecuencia un envenenamiento de vitamina A. Con

La hierba es importante para los gatos, probablemente para regurgitar los pelos tragados al limpiarse. La puede cultivar uno mismo en un tiesto.

Menú

Esto debería contener:	Con qué hay que tener cuidado
carne de caballo, conejo, pollo y pavo (de éstos también el corazón y el estómago), oveja, venado, ternera y cerdo para la albúmina	la carne de cerdo y de ternera cocinada sólo para evitar el contagio infeccioso (enfermedad de Aujeszky, toxoplasmosis, parásitos)
vísceras como el hígado, los riñones, el bazo o el corazón contienen muchas vitaminas	cocer previamente; los riñones hay que lavarlos bien; el hígado crudo es laxante, cocido astringente
Huesos para roer entre horas	no demasiado grandes y nunca de ave, dado que se hacen astillas y pueden clavarse entre los dientes o en el esófago
Pescado	sólo cocinado y sin espinas; sólo una vez por semana para evitar el mal aliento
Queso, requesón o queso duro suave	mezclar una cucharadita con la comida casera o esparcirla por encima
Yema de huevo	cruda, de dos a tres veces por semana; nada de clara, porque destruye la vitamina B
Patatas, arroz, verduras, copos de avena	pocos y cocidos entre la comida casera
Complejos vitamínicos y minerales (en tiendas de animales)	regularmente

Un plato lleno de leche es alimento, no bebida

tomar el suficiente líquido de los alimentos para tener cubiertas sus necesidades. El agua es la bebida adecuada. Algunos sorben los restos de los charcos o de las jarras. Esta costumbre no significa que renuncien a la escudilla con agua fresca. Aquí cada gato tiene su manía. A los míos les gusta tomar su ración de la bañera o del grifo.

La leche es comida, ¡no bebida! Contiene muchas sustancias alimenticias, tales como albúmina o calcio, y es especialmente recomendable para los lactántes y los gatitos jovenes. No obstante, la leche de vaca presenta una composición diferente a la de la madre; por ello muchos gatos no la toleran y les produce diarreas. En ese caso no les dé ningún tipo de leche. Aligerarla con agua no sirve. Como norma general, la leche no vale como bebida.

Doce reglas doradas

1 Darles de comer siempre a la misma hora. Los gatos se adaptan a ese horario.

2 No llenar el plato del todo, porque si no la comida anda de un lado para otro mucho tiempo.

3 Administrar una porción fresca cada vez. Lo que sobre no se mezcla con lo siguiente, sino que la próxima vez se echará un poco menos.

4 No sacar directamente del frigorífico

5 Comida rica y variada, para que el animal no se haga un comedor mimado.

6 No transigir cuando mendigue fuera de horas; los gatos pueden hacer gala de una persistencia que acaba ablandando al más duro.

7 No quitar de raíz la comida a los gatos con sobrepeso, sino que es

Fotos: comida. Una mezcla equilibrada de pienso de lata y comida fresca agradará a cualquier gato si se le acostumbra desde pequeño.

ayuda de una tabla alimenticia se puede lograr la composición adecuada. Lo mejor es alimentar al gato de un modo lo más variado posible, unas veces carne, otras vísceras, otras pienso enlatado y enriquecerlo todo ello, por ejemplo, con queso, clara de huevo, verduras, copos de avena y compuestos vitamínicos y minerales.

La bebida adecuada

Los gatos no brillan como grandes bebedores. Por lo general pueden preferible darles la mitad de lo normal.

8 Los restos de nuestras comidas no les perjudica, pero no debe convertirse en regla general. No deben ser ni muy salados, ni muy azucarados, ni contener demasiadas especias.

9 Lavar con agua caliente la escudilla después de cada comida.

10 A los gatos que tengan vía libre al exterior no sólo hay que darles suficiente de beber, sino de comer. No siempre encuentran bastantes ratones para saciarse.

11 La comida de perros no es adecuada para los gatos a la larga, ya que no contiene suficiente albúmina.

12 Querer alimentar a los gatos con una dieta vegetariana es casi un experimento de laboratorio. Están acostumbrados a la albúmina animal y sufrirían serias deficiencias.

Cuánto pienso enlatado necesita un gato por semana

Edad o peso	Co- midas diarias	Can- tidad
Animales jóvenes 7-12 semanas	5	90 g
Adolescentes 1,5 kg	2	140 g
Adultos a partir de 7 meses unos 4 kg	2	340 g
Mayores, más de 10 años	3-4	200 g
gata preñada	2	360 g
lactante	3-4	450 g
semental en activo	1-2	400 g
gatos castrados	1-2	250 g

Pienso enriquecido con requesón.

Cuando el gato está enfermo

Los gatos tienen una fama proverbial de duros, curtidos y resistentes contra las enfermedades. Si se los alimenta, cuida bien y se les da el suficiente cariño pueden llegar a los catorce y quince años, algunos hasta los veinte. Seguro que hay una enorme cantidad de propietarios que no saben lo que es un gato enfermo.

Se dice que las personas que tienen gatos están más sanas. Quizá sea la amistosa relación con el animal, las caricias y los cariños, que ayudan a combatir el estrés.

Al echar los colirios se sujeta la cabeza del gato con firmeza, de forma que con el pulgar se pueda tirar del párpado para arriba. No rozar el ojo con la pipeta.

Un gato sano es
• despierto, curioso, juguetón y en cuanto deja de ser un bebé se limpia regular y suficientemente; además tiene

• una piel gruesa y reluciente,
• ojos claros,
• orejas limpias (también por dentro),
• una dentadura completa sin incrustaciones,
• encías rosadas sin mal aliento,
• deposiciones blandas y oscuras,
• orina amarilla y clara.
Importante: para la buena salud son necesarias además algunas medidas preventivas.
Un gato enfermo anda sentado de un lado para otro con apatía, no come y a menudo se rasca sin parar. En las páginas 58-59 tienen una pequeña lista de los trastornos más comunes.

Vacunas
Son la medida preventiva más importante y eficaz para su gato, aun cuando éste no salga de casa ni tenga contactos con otros gatos que no estén vacunados. De no estar vacunado, puede contraer enfermedades infecciosas, mortales por lo general. Para la vacunación es preciso que el animal esté sano y sin parásitos. previamente hay que llevar una muestra de las heces al veterinario. Las vacunaciones, practicadas siempre por el veterinario, son necesarias contra
• peste felina
• catarro felino. Las vacunas inmunizan sólo contra determinados microbios y no contra otros. Las residencias de gatos a menudo piden justificante de acreditación.
• Rabia. Es transmisible al hombre.

Los gatos con vía libre al exterior requieren esta vacuna en cualquier caso. Para los viajes al extranjero y para las exposiciones la vacuna es condición imprescindible.

- Leucemia felina. Una enfermedad extendida hoy en día por los cinco continentes. Se transmite de un animal a otro, a traves de la saliva o de la orina, por ejemplo. Se puede detectar por medio del test ELISA. Los criadores lo exigen.

Importante: el veterinario apunta todas las vacunas en una cartilla y anota cuándo toca la siguiente. iEs importante atenerse a ella!

Consejo: contra algunas enfermedades, tales como la enfermedad de Aujeszky o pseudorabia, FIV (el SIDA de los gatos), FIP (peritonitis) no hay ninguna vacuna por desgracia. El desenlace es mortal a menudo. iNo son contagiosas para el hombre!

Desparasitación

Los gatos jóvenes no suelen tener gusanos si su madre no los tiene. Pero este punto sólo lo puede comprobar el veterinario si se le lleva una muestra fecal aprovechando la vacunación. Si es necesario, realizará una cura. Los gatos que desarrollan su actividad al aire libre se infectan a menudo con gusanos, ya sea a través de compañeros, de pulgas o piojos, del suelo o del agua, de carne de tenera, de cerdo, o de pescado crudo (v. menú, pág. 27). Estos gatos deben ser desparasitados cada tres o seis meses. Es importante seguir al pie de la letra las indicaciones del veterinario.

Enfermedades contagiosas para el hombre

Hay toda una serie de agentes patógenos que pueden atacar al hombre y al gato por igual, pero este tema no les debe intranquilizar en

Un collar contra los parásitos no le debe faltar al gato que anda suelto al aire libre.

Lista de vacunas

	peste felina	gripe de gato	rabia	leucemia felina
Primera vacunación posible a partir de	7-8 semanas	7-8 semanas	12 semanas	9 semanas
Repetición en gatos de menos de 12 semanas	después de 3-4 semanas	después de 3-4 semanas	–	1ª después de 3 semanas
				2ª después de 3 meses
				3ª después de 1 año
Repetición en gatos de más de 12 semanas	después de 1 año	después de 2-4 semanas	después de 1 año	1ª después de 3 semanas
				2ª después de 3 meses
				3ª después de 1 año
Repetición para que no se pierda la efectividad	cada 2 años	anual	anual	anual

¿Cómo se llega hasta la leche?   *Muy simple: se mete la pata...*

exceso. Un gato doméstico, vacunado y que sólo come alimentos cocinados o pienso compuesto, adquiere raras veces microbios que le puedan resultar peligrosos. Lo mismo vale para gatos que estén al aire libre, que por ello pudieran resultar más vulnerables. Mientras cumpla con las medidas higiénicas y preventivas, no tiene por qué tener miedo del contagio de alguna enfermedad a través de su animal.

Rabia: todos los gatos que salgan al exterior tienen que estar vacunados contra ella.

Toxoplasmosis: Es especialmente peligrosa para las personas durante un embarazo, dado que le puede causar al feto serios trastornos en el cerebro y en los ojos. Las mujeres deberían hacerse al comienzo de la gestación, con un intérvalo de seis semanas, dos análisis de sangre como comprobación. No por ello tiene que separarse la futura madre de su mascota, pero si conviene que deje a un lado las caricias y los mimos en la medida de lo posible.

Microsporas: es causada por un hongo cutáneo y se manifiesta en la caída del pelo y en picores. Tratamiento médico. Para evitar un posterior contagio desinfectar o desechar la cesta donde duerma, peine, cepillo y juguetes.

Ascárides: la mejor defensa es una desparasitación regular.

Pulgas, ácaros, garrapatas (v. dibujo pág. 34): frente a ellas sirve un collar especial contra insectos. Tratar con polvos de talco y loción de lavado (preguntar en farmacias o pedirle una receta al veterinario). En caso de que pille garrapatas, pasar la aspiradora sobre todo por debajo de cubiertas del suelo y de alfombras de un modo

... y se chupa.

Luego hay que limpiarse

concienzudo. En caso de ácaros, desinfectar cuidadosamente todos los lugares donde los gatos acostumbren a estar.

La visita al veterinario

Dado que hay que ir con el gato al veterinario a menudo, para las vacunas periódicas, la castración y breves chequeos, es importante la elección del especialista. Tiene que tratarse de un amante de los gatos, que se muestre comprensivo con las características de estos animales. Previamente usted habrá averiguado si su gato es un paciente tranquilo o arisco. A la consulta se le lleva en una cesta y en la sala de espera si es posible no le deja salir. Describa los síntomas de la enfermedad con exactitud. Puede crearse una imagen deformada de la realidad si tergiversa, exagera o minimiza.

Sirve de ayuda el siguiente cuestionario:
- ¿Cómo come su gato?
- ¿Tiene diarrea o extreñimiento?
- Cambia su comportamiento de un modo repentino; por ejemplo, se vuelve apático, abandona el cuidado de su cuerpo, está sucio?
- ¿Bebe más de lo normal?
- ¿Se rasca mucho, la oreja por ejemplo, y sacude una y otra vez la cabeza?
- ¿Tose con el cuello estirado?
- ¿Está demasiado delgado?

El médico apreciará las respuestas breves y precisas, y se tomará su tiempo para emitir un diagnóstico acertado. Hay que tener en cuenta que hay que tratar con una criatura que no puede hablar por sí misma. En cualquier caso, lleve una muestra fecal (recubrir el cajón sanitario para ello con papel de cocina), y no olvide la cartilla de vacunación.

Fotos:
gato goloso. Es imposible quitarle a un gato la costumbre de robar de la mesa. A quien no le haga gracia esto, no debe dejar nada abierto a su alcance.

33

El trato con el gato enfermo

Hable siempre con él al curarlo para infundirle confianza, cálmelo y acarícielo.

Póngase a su misma altura, es decir, acurrúquese junto a él en el suelo, o siéntese sobre la mesa.

Al tratarlo, una toalla extendida con cuidado en torno al pecho y al cuello protege de rasguños.

Al administrar las píldoras, tirar de la cabeza hacia atrás con suavidad, haciendo presión sobre los dientes. En el momento en que el gato abra la boquita, usted aprovechará para deslizar con la otra mano la píldora o la pastilla en las fauces y masajearle hacia el estómago, hasta que note que engulle el medicamento.

Los líquidos conviene dosificarlos gota a gota con una jeringuilla desechable (sin aguja) por detrás de las muelas. No hay que lanzarlo a chorro, porque el gato se puede atragantar. También puede echar el medicamento en la pata y deje que luego se lama.

El botiquín (caja o cesta) se coloca en un lugar seguro.

Que beba su gato en abundancia. Con muchas enfermedades (diarrea, vómitos) la provisión de líquidos es mucho más importante que la comida.

Las indicaciones del veterinario han de ser seguidas al pie de la letra, respetando las dosis, aún cuando los síntomas de la enfermedad hayan remitido a la mitad del tratamiento. Nunca dé a su animal medicinas destinadas al consumo humano, a no ser que se las haya recetado el veterinario.

Con estas pinzas se agarra la garrapata y se saca de la piel girando en el sentido de las agujas del reloj. No se puede dejar la cabeza, porque se produce una infección.

Adormecimiento

Su gato ha convivido con usted muchos años, pero un día todo se acaba y se duerme para siempre. A pesar del dolor de la pérdida, se le desea una muerte serena al animal que tantas alegrías nos ha deparado. Pero no siempre ocurre de este modo. Quizá sufra un accidente o tenga una dolorosa enfermedad incurable. En esos casos, la decisión de dormirlo mediante una droga para ahorrarle sufrimientos es un alivio para él y para el propietario. Claro está que el único que puede decidir su conveniencia es el veterinario, quien administra una inyección al animal, con la que se duerme poco a poco. Si sostiene en el brazo al animal y lo acaricia y habla con él, no sentirá dolor alguno.

Al administrar una píldora, se agarra la cabeza del gato y se ejerce una suave presión detrás de los dientes. En cuanto abra la boca, se desliza la píldora lo más adentro posible.

Cuando la gata tiene cachorros

Cachorros una vez en la vida

Los amantes de los gatos gustan de argumentar sobre este tema: «Sabemos que sería una irresponsabilidad abandonar a los gatos a su suerte y no mandarlos capar, pero en realidad no tenemos derecho a hacerlo. En nuestra opinión, sería preferible para ellos tener descendencia al menos una vez en la vida.» Esta postura no se puede apoyar con un fundamento científico, a pesar de que algunos sostienen que hay otra parte de los animales a la que la ciencia no puede acceder. Yo creo que aquí lo que entra en juego es sobre todo el deseo del hombre a disfrutar de la satisfacción de criar gatitos. Los animales, como alguien dijo, son el último resto del paraíso y, consciente o inconscientemente, todo el mundo quiere recibir algo de esta pizquita.

Cinco consideraciones antes

1 Su gata puede tener hasta ocho gatitos en una camada. ¿Tiene usted la posibilidad de dar cobijo a tantos animales? Si no, tiene que mandarlos al veterinario que les ponga la inyección.

2 Todo gato necesita una persona comprensiva con los animales. ¿Va a emplear el tiempo y la paciencia para ocuparse del lugar adecuado de cada gatito?

3 Quiere conservar uno de los cachorros y acompañar así a la madre. El sexo no juega ningún papel en la elección. A un macho, no obstante, tendría que hacerlo castrar (v. página 18), porque si no se aparearía con la madre.

4 Dos gatos cuestan más que uno: veterinario, comida, quizá un segundo retrete.

5 la cría de gatos no es algo que se pueda llevar a la ligera. ¿Está usted dispuesto a ocuparse de procurar espacio suficiente, la alimentación correcta, atención y cuidados? ¿No se va a enfurecer por el desorden y la suciedad?

La cría de gatos de raza

Cuando me regalaron una gata birmana con pedigrí, no pensé inmediatamente en la cría, pero me apetecía aparear a Nina, dado que se trata de una gata muy atractiva y ya tenía algunos candidatos para quedarse con los cachorros. La anterior propietaria ya me había indicado que la cosa no era tan fácil. Al final, se debió a Nina que no tuviéramos descendencia. Con los gatos de raza (v. pág. 43), que suceda algo así es más que posible.

Consejos para la elección del gato

Para conseguir la dirección de un hermosos y reconocido gato semental, lo mejor es llamar a la asociación de criadores más próxima. Allí se encuentra la lista oficial de los gatos registrados de todas las razas.

Por otro lado, a veces se sabe de tal o cual gato, cuyo dueño no inscribió

El control de natalidad con los gatos es necesario. Se calcula que sólo una parejita, que tuviera 14 gatos al año en tres camadas, tendría una descendencia de 65. 536 gatos al cabo de cinco años.

Sólo dos semanas y ya está despabilado del todo.

Rendido de cansancio.

al animal, pero le agradaría que su animal tuviera descendencia.

• Al elegir el gato hay que tener en cuenta que los buenos y malos aspectos se equilibren para conseguir el nivel de pedigrí. Por ejemplo, si su gata birmana tiene ojos verdosos en lugar de amarillo brillantes, el gato no debería presentar el mismo defecto.

• Lo acertado del gato sólo se comprueba cuando llegan los gatitos y se ve si satisfacen el estándar (v. pág. 46).

• En caso de un gato autorizado, hay que satisfacer unos honorarios entre 6.000 y 20.000 pesetas. Si el gato vive en otra ciudad, puede haber que sumar gastos de hotel y de viaje. O bien usted lleva la gata hasta el gato.

• Póngase en contacto con el dueño del gato a la primera señal de celo, para que la fecha no sea reservada por otra gata. LLévela junto al gato al tercer día del celo, para que los animales se vayan conociendo. A partir del cuarto día el apareamiento promete tener éxito.

Rituales amorosos

En el caso de mi precoz birmana empezó el celo a los seis meses, mientras que mi gata doméstica negra Matilda necesitó nueve meses. Durante tres o seis días se muestran cada vez más inquietas, comen menos, maullan o arrullan, se frotan contra diferentes objetos y quieren que las acaricien constantemente. Las distintas razas se diferencian en gran manera respecto a este comportamiento, cuyo fin es atraer al gato. La «exótica» Nina me sorprendió el primer día con la violencia de su voz. Ese profundo y poderoso ronquido resultaba inverosímil, proveniendo de una boquita tan delicada. Mientras tanto, se revolcaba con unos ágiles movimientos propios de una serpiente casi sin interrupción y, cuando se la intentaba acariciar, se ofrecía al apareamiento con la espalda estirada hacia atrás y la cola recogida.

Como gato de vivienda, depende de su dueño para llegar hasta un compañero. A pesar de ello, puede ocurrir que lo rechace. En esos casos lo único que resta es buscar otro candidato.

Barullo en la fuente de leche.

Fotos: puerperio felino. Durante las 24 horas siguientes al parto, las crías permanecen colgadas de las ubres de su madre. La madre deja las piernas sueltas sobre sus hijos como protección y los arrulla con un ronroneo. Sólo cuando todos duermen, abandona el nido por un momento.

En libertad la misma gata hace la elección. Los gatos de la zona saben en cada momento dónde hay una gata en celo. Los pretendientes se acurrucan en círculo a la distancia permitida entre sí. A veces llegan a pelearse por los favores de la gata, sin que ésta se deje impresionar. Su elección no tiene por qué compensar al vencedor, y los gatos respetan esto. Si ha elegido a uno con unos sugerentes maullidos, éste la corteja con arrullos, corriendo de un lado para otro, al tiempo que rociaba de orín diversos objetos. Si trata de montar a la gata demasiado pronto, su impaciencia es castigada con un zarpazo.

Apareamiento

En cuanto la gata está dispuesta para el apareamiento, se agacha, levanta la parte trasera, aparta la cola a un lado y patalea con las piernas traseras. Ahora el gato puede colocarse sobre ella. Para ello, la agarra por el cogote con brusquedad y desliza el pene en la vagina. La descarga del semen se produce casi al momento, acompañada por un aullido penetrante de la hembra. El gato procura escapar de un salto, antes de que la gata pueda propinarle una bofetada. Mientras ella se revuelca y se lame las patas y los genitales, él se mantiene a una distancia prudencial en espera de más acontecimientos, ya que en un apareamiento las cosas no suelen terminar así.

Esta es la posición típica que adopta su gata cuando está en celo y dispuesta al apareamiento. Se agacha, levanta la parte posterior, araña con las patas traseras y dobla la cola hacia un lado.

La gata está preñada
A las tres o cuatro semanas como muy pronto se puede comprobar si la gata ha quedado preñada. Los pezones, que normalmente apenas si sobresalen de la piel como puntos azulados, empiezan a colorearse de rosa, a endurecerse y a levantarse. A partir de la quinta semana aumenta poco a poco el tamaño del vientre. Los flancos se llenan y el estómago se redondea. La fecha de nacimiento la puede calcular usted mismo: el día del apareamiento más otros 63. Puede haber una oscilación de hasta siete días antes o después, sin que por ello haya que intranquilizarse. Durante esta época la gata está especialmente ligada a «sus» personas. Los animales en libertad no se alejan demasiado, se hacen más caseros. En principio, todo sigue su curso natural.

La caja de la camada debería medir 35 x 50 x 25 cm. Es lo suficientemente espaciosa para la madre y lo bastante alta para que las crías no puedan trepar por ella.

Lo que come
Una gata preñada tiene más apetito. Dele 360 g de alimento en pequeñas porciones todos los días. Necesita comida muy nutritiva, sobre todo albúmina en forma de queso duro (rayado), cuajo, yema de huevo o copos de cerales. Se puede mezclar una cucharadita con cada comida. Además, es aconsejable un preparado cálcico, que haya recomendado el veterinario.

Lugar para el alumbramiento
En cuanto la gata empiece a inspeccionar la vivienda en busca de un lecho para el parto, y ande revolviendo entre los armarios, cajones o cestas, hay que preparar la caja para la camada. Sirve una cesta, una caja de cartón duro o un cajón de unos 30 x 50 cm con un borde de 20 a 25 cm. La gata debe tener suficiente espacio para apoyar la espalda y estirar las piernas. Como complemento vale un cojín duro con una funda lavable, y una gruesa capa de papel de periódico encima, que se cubrirá con un trapo limpio. Coloque la caja en un lugar tranquilo y deje que la gata se vaya acostumbrando a ella. Algunas, no obstante, tienen a sus crías en la cama o en la cesta de la colada.

El parto
Por lo general, la gata no necesita de la ayuda de usted en el parto, si bien muchas prefieren que no se las deje solas, sobre todo si es la primera vez y si está muy ligada a «sus» personas. Usted comprenderá por su comportamiento inquieto que ha llegado el momento. Ella salta una y otra vez a la caja del parto, y luego escarba en el retrete, a menudo sin utilizarlo.

Si usted trata de apaciguarla, al final se quedará tumbada.

Poco antes de que comience el alumbramiento, desprenderá el liquído amniótico. Al poco tiempo es expulsada la primera cría en el receptáculo. La madre tira de ella, caso de que no salga por sí sola, y lame con avidez al recién nacido, hasta que este comienza a moverse y a gritar. Luego arranca el cordón umbilical de un mordisco y se come la placenta. Poco a poco van naciendo los demás gatitos. Esto puede durar una o dos horas, pero a veces hasta un día entero.

Mientras la gata gime con agrado, tumbada de lado, y los cachorros están como prendidos de sus mamas, usted puede tirar con cuidado del paño y de los periódicos bajo ella. Así queda limpia y seca sobre el cojín.

Los primeros días y semanas

Los gatos recién nacidos están ciegos y sordos, pero ya tienen toda la piel con el dibujo. La cabeza con sus pequeñas orejitas es relativamente grande, el cuerpo pequeño, las extremidades son débiles.

Las uñas no pueden ser recogidas y están cubiertas con una membrana que se desprende poco después de nacer. El instinto alimenticio les guía enseguida a la fuente correcta.

El desarrollo de las crías de un vistazo

1-7 días	ciego e indefenso, dependiente de la protección de la madre
8-12 días	comienzan a abrir los ojos
16-20 días	el gatito empieza a inquietarse, los ojos ya están abiertos del todo
21-25 días	los primeros pasos, vacilantes aún
a partir 3ª semana	los primeros alimentos sólidos; colocar pequeñas bacinillas junto a la caja de la camada; el gatito puede distinguir tonos para llamar a la madre o para seguirla
4ª-5ª semana	el gatito salta y trata de trepar por la caja de la camada; se desarrolla el reflejo de caída; los extraños son recibidos con gruñidos y recelo; juegos
a partir 6ª semana	peleas
8ª semana	dentadura de leche completa; come por su cuenta; destete de la madre, los intentos de mamar son impedidos con golpes
10ª-12ª semana	el amor fraternal se acabó; comienza la lucha por el territorio y la comida; inicio de la madurez

Con este biberón especial se puede alimentar a los gatitos que no reciban leche materna, o no la suficiente.

Nada más nacer empiezan los gatitos a buscar las ubres. Estimulan la salida de la leche con golpecitos de las patas delanteras.

39

Cuando una gata considera que sus crías están en peligro, se larga con la casa a cuestas. Agarra por la nuca a cada gatito, que acto seguido entra en una especie de letargo, permaneciendo tranquilo y dejándose llevar.

Gatitos persas colourpoint azul

palpando avanzan hasta las mamas y comienzan a chupar, al tiempo que presionan con las patas delanteras para facilitar la salida de la leche. Este movimiento lo conserva un gato hasta una edad bastante avanzada. Sobre todo cuando se siente bien, como cuando reposa sobre el regazo de uno y ronronea complacido, sus patas se mueven con un pataleo y una especie de masajeo.

Gatos huérfanos

No es fácil sacar adelante a gatitos de tan sólo unos días de edad, pero ¡qué satisfacción cuando se logra!
Alojamiento: colocar la cestita o la caja en un lugar caliente y seguro y recubrirla con papel de cocina. procurar el calor necesario, entre 25 y 30° C, en las primeras semanas con un cojín de agua caliente o una lámpara de infrarrojos; luego, hasta la sexta semana, reducir la temperatura ambiente a 20° C.

Gatitos persas carey sobre blanco.

Alimentación: A veces el gato está demasiado débil para chupar del biberón (v. dibujo, pág. 39). En ese caso se le puede dar la leche con un cuentagotas o una jeringuilla desechable (¡sin aguja!). Esterilizar antes de usar como para los bebés. Calentar la leche a 38° C (probar con los labios), colocar el gato sobre el regazo y deslizar la tetina en la boquita, sujetándole por el cuello. Cuando haya terminado, se le masajea el estómago con el dedo, para estimular la digestión. La orina y las heces se apartan con un algodón humedecido en agua. Luego se le seca y se le frota la zona anal con vaselina.

Leche de cría: dado que la leche de vaca no es lo suficientemente grasa y rica en albúmina para el gatito, hay que optar por otras alternativas.

• Leche de cría especial en polvo, de venta en establecimientos especializados. Se mezcla con agua según las instrucciones.

Fotos: crías. De pequeñas son todas bonitas. Pero de ellas resultarán personalidades muy acusadas.

41

• leche de bebé pulverizada. Al mezclar se añade el doble de la cantidad de polvo que para un niño.
• leche condensada al 10%. Se aligera con agua.
Atención: hervir primero el agua un buen rato.
Destete: también con estos gatitos comienza la adaptación a la comida sólida a la tercera semana. Al principio, mezclar con el alimento de botella, una cucharadita de papilla, y algo de jugo de carne o de caldo de ternera. Poco a poco se va incrementando la proporción de comida sólida hasta la octava semana, a partir de la cual también los gatos normales se destetan.

Gatos y ratones

En la caja de la camada se experimenta todo lo que el gato va a necesitar después para su profesión de «cazador». Se pueden apreciar los futuros modos de comportamiento en las crías que apenas pueden sostenerse sobre las piernas. El avance furtivo, el salto sobre la presa, la persecución, la captura, los mordiscos y, claro está, un revolcón con cada movimiento.

Posición de defensa: el gato dobla las piernas traseras, mantiene la cabeza hundida, encorva la espalda y da rápidos coletazos de un lado para otro.

Una madre que tenga libre acceso al exterior le enseña a sus crías el encuentro con el ratón por etapas. Primero les familiariza con el ratón muerto. Luego les trae ante sus ojos un ratón malherido, lo mata y se lo come. Por último, acarrea un ratón vivito y coleando para que el más osado le de el mordisco de gracia, un paso decisivo en el aprendizaje. Los gatos de interior que no han podido practicar esto, se muestran algo más torpes con sus primeros intentos reales. Pero lo fundamental lo han aprendido, pues el sigilo, el salto, la sacudida mortal y el acarreo lo practican con ovillos de lana, pelotas, bolas de papel y con la cola de la madre (v. El juego con el gato, pág. 20).

Cuando dos amigos se encuentran, se saludan con un choque de narices. Este contacto olfativo sirve para identificar el olor del otro y poder así distinguirlo bien.

Razas de gatos

De gato salvaje a doméstico

La historia de nuestro gato doméstico es relativamente reciente, pues su domesticación llevó bastante más tiempo que la del resto de nuestros animales domésticos. Es cierto que ya en Jericó, en el 7000 a.C. se tenían gatos, pero sólo como animales salvajes domesticados. Fue en el Imperio Nuevo de Egipto, alrededor del 1500 a.C., cuando los gatos agrisados africanos se acercaron a la compañía del hombre, atraídos por las plagas de ratas y de ratones que infestaban las provisiones de cereales y de arroz. Al mismo tiempo se acostumbraron al hombre y fueron ensalzados por éste como dios protector de los graneros. Otro rasgo peculiar del gato es su unión voluntaria al hombre.

Los gatos domésticos no llegaron a Europa central hasta la época de los carolingios, es decir, hacia el 800 d.C., y se cruzaron con sus congéneres indígenas en estado salvaje.

De su origen salvaje han conservado muchas características, que los hermanan con sus parientes sin domesticar. De hecho la familia de los gatos *(Felidae)* constituye un grupo muy homogéneo. Cualquier gato, grande o pequeño, se reconoce en seguida y resulta inconfundible con otra especie.

Surgimiento de las razas

Como en el caso de los otros animales domésticos, han tenido lugar en este proceso de domesticación muchas mutaciones (cambios repentinos de la sustancia hereditaria que se transmite de generación en generación), que han transformado el color, pelaje y aspecto. En un primer momento el hombre se dedicó a experimentar como juego. La naturaleza le compensó por ejemplo con el turco Angora, cuyo nombre proviene de la ciudad de Ankara. Ésta es una de las razas más antiguas. Como añadido vinieron circunstacias que impidieron a este animal la procreación fuera de su propia raza. De este modo pudieron fijarse sus rasgos característicos, que le convirtieron en un gato oriental de pelo largo. Cuando estos ejemplares llegaron en el siglo XVI a Inglaterra y Francia desde Turquía, fueron muy apreciados por su pelaje plateado y sedoso.

Con el tiempo se desarrollaron entre estos gatos de pelo largo, blancos en general, diferentes tipos, que, cuando se dio preferencia a la complexión compacta y al pelaje tupido y suave, dieron lugar al comienzo de la cría de persas.

La cría sistemática se practica en el mundo entero desde hace unos cien años. Ello trajo consigo varias cosas:

1. El hombre dejó de dar prioridad a la utilidad del gato, en favor de su aspecto y belleza.

2. Para la fijación de las razas se tomaron características que diferenciaran a un gato de los demás, tales como el pelaje, la coloración o una determinada forma de la cabeza o del cuerpo.

La elegancia y la belleza del gato, así como la pasión por formas y colores extraordinarios, son el estímulo que impulsa a muchas personas a la cría de gatos.

43

Persa Chinchilla

Persa azul de pelo largo

*Fotos:
diferentes tipos de
persa. Tiene fama de
ser la raza más
tranquila y demandan
mucha dedicación,
sobre todo para el
cuidado de su pelo.*

Persa de pelo largo bicolor blanco y crema

44

Persa negro de pelo largo

Persa colourpoint azul

Persa carey y blanco

rsa chocolate de pelo largo

Persa de pelo largo rojo

3. Por esta época el monje austriaco Gregor Mendel descubrió las leyes de la herencia. A partir de este momento los criadores, que hasta entonces no tenían apenas idea de la transmisión del color, pudieron proceder en consecuencia.

¿Qué es un estándar?

Como estándar se designa la descripción del animal «ideal» de una raza. Son fijados por la comisión internacional de jueces de las asociaciones de gatos de raza. Hoy se conocen alrededor de cincuenta razas, cuyo estándar en Europa es juzgado y premiado en las exposiciones según determinados criterios por la FIFE continental (Fédération Internationale Féline d'Europe) y el británico GCCF (Governing Council of the Cat Fancy). Cada raza y variedad de color reconocidos tienen asignados un número válido para todos los países miembros de la FIFE. Así, por ejemplo, el número 27 designa un Birmano, mientras que la letra adicional A se aplica a la variedad azul. Se valoran

Para el cuidado del pelaje de los gatos de pelo largo se necesita un peine con púas anchas y estechas y un cepillo con cerdas naturales y de metal.

el color, la cabeza, el cuerpo, los ojos, la piel, la condición física y la cola hasta sumar un máximo de 100 puntos.

Gatos de pelo largo

En este grupo se inscriben los persas. Todos tienen la misma morfología, con cabeza ancha sobre una cerviz corta y gruesa, orejas pequeñas, de las que crecen largos mechones, ojos grandes y redondeados y nariz corta achatada con el típico «stop» (escotadura entre la frente y la base de la nariz). El cuerpo es robusto y se sostiene sobre patas pequeñas y gruesas. El pelaje es largo, espeso y fino, y se extiende por el cuerpo y la cola de modo uniforme, si bien el collarín resulta especialmente llamativo.

Los ojos pueden ser naranjas o cobrizos, verdes, azules o de diferentes colores *(odd eyed = azul/ naranja)*.

Hay

- persas de un color: negro, blanco, chocolate, azul, lila, rojo y crema;
- de varios colores: carey, azul-crema, bicolor y carey-blanco;
- colourpoint: todos los siameses;
- con dibujo: tipo *tabby* atrigado, listado o jaspeado;
- con coloración de las puntas de los pelos *(tipped persa):* Chinchilla, *Silver Shaded, Black Smoke, Red Smoke,* Camafeo, *Shell Golden, Shaded Golden* (v. fotos, pág. 44-45).

Gatos de pelo semilargo

A este grupo pertenecen diferentes razas, que, si bien presentan un pelaje espeso, se diferencian de los persas en que no tienen la típica cara aplanada.

Birmano: cuerpo, cabeza, nariz y orejas más largas que las de los

Los principales antepasados de nuestros gatos domésticos son el gato agrisado (izquierda) y el gato silvestre europeo (derecha).

persas. El color de la piel es claro con marcas oscuras en la cabeza, las orejas, la cola y las piernas. Su característica más peculiar son los «zapatos» blancos en las patas. Los ojos son de un color azul zafiro maravilloso, la cola es espesa y la piel es fácil de cuidar.

Gato Van turco (v. foto, pág. 8): un gato muy temperamental con una especial inclinación por el agua. Nada y se revuelca en la nieve con regocijo. Su cuerpo es blanco con manchas rojas anaranjadas en la cara y una espesa cola roja.

Silvestre noruego: es la única raza que se ha aclimatado a las gélidas temperaturas de Noruega. Sobre su cuerpo robusto y ágil se alza una cabeza triangular con una nariz recta. El pelaje cae como un abrigo, que nace en el lomo y se derrama sobre los costados hasta formar una especie de «pechera». La cola es larga y espesa. Se reconocen todos los colores.

Somalí: una raza bastante nueva con el mismo color de pelo que el Abisinio (v. Gatos de pelo corto) y ojos verdes o ámbar.

Maine coon (v. fotos, pág. 8-9): una de las razas americanas más antiguas y similar al silvestre noruego. Todos los colores son posibles.

Balinés (v. foto, pág. 8): un siamés (v. Gatos de pelo corto) de pelaje largo con un cuerpo grácil y esbelto y una piel fina y sedosa.

Gatos de pelo corto

Se distinguen diferentes razas, cuyo rasgo en común es su pelo corto. Su apariencia puede ser desde robusta y tosca hasta elegante, esbelta y delicada.

Europeo de pelo corto: corresponde entre otros al gato doméstico centroeuropeo. El cuerpo, de tamaño mediano, se sostiene sobre patas poderosas con pezuñas firmes.

Británico de pelo corto: un gato tosco y rechoncho muy querido en Inglaterra, la cuna de la cría de gatos. Cola ancha y pelaje espeso y fino, que se levanta como un peluche.

Cartujo (v. foto, pág. 8): es pesado y musculoso, con una cabeza ancha y unos abultados mofletes. Llaman la atención su pelaje azul y los brillantes ojos oscuros anaranjados.

Siamés (v. foto, pág. 9):para muchos sigue siendo el prototipo de gato de raza con su cuerpo grácil y estilizado, sus relativamente delgadas piernas, y su cara alargada de perfil recto. Es representativo el cuerpo claro con cola, patas, orejas y antifaz negros, con el contraste de los ojos azul oscuro. Se admiten diferentes variedades cromáticas. Los siameses tienen fama de ser cariñosos, aunque durante el celo se vuelven fuera de sí y desarrollan una potente voz.

Birmano: es algo más robusto que el siamés. Se trata de un gato elegante con cabeza en forma de cuña y un ángulo en el nacimiento de la nariz. El pelo es corto y fino, y su color original es el marrón. Se admiten variantes cromáticas.

Abisinio (v. foto, pág. 9): parece un antiguo gato egipcio sacado de un mural. Su pelaje es de un color similar al conejo salvaje. Su carácter es dócil y cariñoso.

Habana (v. foto, pág. 8): una raza americana especial con pelaje marrón. Es fácil confundirle con el Birmano.

Rex: todos los Rex tienen un pelaje rizado, ondulado o afelpado. Son de tamaño mediano, esbeltos y de piernas largas.

En este receptáculo o perrera se puede llevar a un gato de viaje o a una exposición sin problemas

47

Cómo comprender a los gatos

El gato en la historia y la literatura

Desde el momento en que el gato se cruzó a su esquiva manera en el camino del hombre, su ascenso pareció imparable. En Egipto se le veneró como la amable y bondadosa diosa Bastet, la esposa con cabeza de gato del dios solar Ra, y se le enterraba en cementerios propios, convertidos en monumentos. En cuanto los mercaderes lo introdujeron en Grecia y Roma y se descubrió su valor como cazador de ratones, empezó su marcha triunfal por todo el mundo. En todas partes se consideró al gato como algo especial; se admiraba la mezcla de depredador independiente con el carácter dócil y cariñoso. Luego se produjo la caída. Con el florecimiento de las supersticiones hacia el 1200 d.C., la antigua diosa pasó a ser una criatura diabólica. Su carácter inescrutable y misterioso significó su ruina. Se la relacionó con ritos paganos. Durante 450 años fueron torturados, colgados y quemados por millones junto con brujas y herejes. Pero esta caza despiadada se pagó con un amargo saldo. Ya no había quién pusiera coto a las ratas, que acarreaban la peste en las ciudades medievales. Los perseguidores de gatos también fueron diezmados a su vez.

Pero a comienzos del siglo XVIII la estima por los gatos volvió a brotar con la no pequeña contribución de los escritores. La fascinación que esta criatura ejerció sobre poetas y pintores no ha remitido desde entonces.

«El tintero no se vacía cuando se trata de gatos», escribió un bardo francés «poseído» por tres gatos, mientras que otro proclamaba con entusiasmo: «Hay que tener el oído de un gato para poder distinguir la voz de una hormiga y la de una mariquita.»

El cuerpo del gato

El cuerpo del gato está perfectamente dotado para atrapar presas pequeñas y rápidas. Su agilidad le permite deslizarse con sigilo y saltar sobre el botín sin darle tiempo a reaccionar. Las garras de sus patas le sirven para agarrar y su afilada dentadura para dar el mordisco de gracia.

Extremidades: sus poderosos saltos se deben a sus musculosas piernas traseras. Puede saltar a una altura cinco veces su tamaño. Sus andares son tranquilos, extremadamente lentos y compensados al deslizarse, vertiginosos al acelerar, aunque no puede sostener ese ritmo durante mucho tiempo. Con ayuda de sus uñas escala con presteza a lugares elevados. Por el contrario, al tratar de bajar de un tronco cabeza abajo, resbala con torpeza, ya que las uñas dobladas hacia atrás no le permiten aferrarse. Le resulta más fácil hacia atrás, pero eso requiere un aprendizaje; los gatos pequeños tienen dificultades al principio. Quién no ha leído en el periódico de gatos

Erróneamente se considera el encorvamiento de la espalda de un gato como gesto de sumisión; cuando en realidad es un gesto de rechazo que viene a significar: «¡Déjame en paz!»

Foto:
escalada. Un gato trepa por un árbol a pequeños saltitos y utilizando sus afiladas uñas como garfios. El descenso le resulta más trabajoso, ya que las uñas, dobladas hacia atrás, no le sirven de apoyo.

¡Por el árbol sube como un rayo!

En la oscuridad se dilatan sus pupilas para atrapar hasta la última pizca de luz.

que se han subido a la copa de un árbol y desde allí lanzan lastimeros maullidos de desvalimiento porque no se atreven a bajar. En caso de necesidad el último recurso son los bomberos.

Patas: el gato camina sobre unas suelas silenciosas, es decir, sobre pulpejos acolchados. Las patas traseras tienen cuatro pulpejos con cuatro uñas y un pulpejo grande en el centro. Las patas delanteras presentan cinco pulpejos, cinco uñas, un pulpejo delantero y uno medial. Para que las uñas delanteras sean siempre un arma eficaz, el gato las afila rascando; además, puede guardarlas en unas bolsitas. De esta manera permanecen puntiagudas como un alfiler en todo momento.

Cola: la emplea como un equilibrista la barra. Además, delata diferentes estados de ánimo (v. Lenguaje corporal, pág. 53).

Pelaje: protege el cuerpo del gato por igual frente al frío, la humedad y el calor. En verano es fina y en invierno gruesa. En los gatos de vivienda esta característica es menos acusada, claro está. Los pelos largos pueden ser movidos por un pequeño músculo y se enderezan con la excitación. El color sirve de camuflaje por un lado, y como señal de defensa por otro, un hecho poco relevante entre nuestros gatos domésticos y de raza.

Lenguaje felino de un vistazo

Expresión	Orejas	Bigotes	Ojos
amistoso, relajado	hacia delante un poco hacia fuera	hacia los lados bastante juntos	tranquilos, parpadeantes según la claridad
atento, tenso	de pico hacia delante	orientados hacia delante separados	grandes y redondos
agresivo	dobladas hacia atrás	separados	pupilas contraídas
con la guardia alta	plegadas un poco hacia atrás y mirando hacia abajo	algo retraídos	pupilas dilatadas
angustiado	hacia los lados	juntos hacia atrás	pupilas dilatadas

Los sentidos

También los sentidos del gato están enfocados a su «profesión» de cazador. Con sus oídos y sus ojos puede descubrir a su presa de lejos. A estos se añaden el olfato y el gusto, que identifican a su botín con una precisión asombrosa. Las señales táctiles rigen la orientación, la sexualidad y la agresividad.

Oídos: el gato oye en frecuencias de hasta 65 kHz (las personas hasta 20 kHz) y detecta sonidos tan finos como el pitido, el pataleo y el ruido que hace al roer un ratón. Incluso cuando dormita, reacciona en el acto ante ruidos extraños.

Ojos: los gatos pueden ver en la oscuridad casi con la misma nitidez que de día. Los ojos se adaptan a la luminosidad. En la oscuridad sus pupilas están dilatadas al máximo y pueden recibir un máximo de luz. Por el contrario, cuanta más claridad hay, más se contraen, de forma que la luz sólo pueda pasar por dos pequeñas aberturas arriba y abajo. Cuando un haz de luz los ilumina de repente en la noche, los ojos resplandecen. Esto se debe a una capa reflectante, que aumenta aún más la capacidad visual en la penumbra.

Tacto: tanto la piel desnuda en la nariz y en los pulpejos de las patas como los mismos pelos transmiten sensaciones. El mayor grado de

Con la claridad se contraen sus pupilas hasta una pequeña hendidura y sólo dejan pasar la luz por arriba y por abajo.

Cola	Cuerpo	Pelaje	Sonidos
tranquila, alta, erguida	estirado y con la cabeza alta	alisado	ronquidos, maullidos de saludo
la punta oscila	tenso	alisado	
se mueve con violencia, doblada como un gancho en el nacimiento	muy erguido, la espalda se levanta un poco hacia atrás	erizado en la mitad del lomo y en la cola	gruñidos, resoplidos, aullido prolongado creciente y decreciente (canto del gato)
se mueve a golpes	las piernas dobladas, la cabeza hundida, joroba	alisados	resoplidos, gargajeos
se mueve como un látigo	arqueado	erizado por todo el cuerpo	chillido estridente

Tenso y atento.

Ágil salto y captura certera.

L os gatos reaccionan con una sensibilidad extraordinaria a los terremotos y otras catástrofes naturales. El sistema de aviso del que disponen nos es todavía un misterio. Conformémonos con que esta aptitud es algo natural, aunque no por ello menos maravillosa.

sensibilidad se alcanza en los bigotes y en los pelos de las piernas delanteras. Posibilitan la orientación hasta en noche cerrada.

Nariz: de la misma manera que nosotros con la vista nos formamos una «imagen» de cada persona, el gato lo hace con el olfato de cada nueva persona, de cada gato extraño, y, por supuesto, de su comida, con lo que aumenta sus percepciones sensoriales.

Gusto: este sentido está estrechamente unido al olfato. Ambos se denominan los sentidos químicos y permiten a los animales descubrir procesos que tienen lugar dentro o fuera de su cuerpo. En la lengua se encuentran abundantes verruguitas, las llamadas papilas gustativas, por eso cuando el gato le chupa a uno su tacto es como papel de lija.

Lenguaje felino

Claro está que los gatos no «hablan» como nosotros, pero su vocabulario es muy rico. Nunca deja de sorprender la variedad de formas expresivas de que disponen. Seleccionaré una escena entre varias: un gato está sentado sobre el radiador con sus piernas delanteras una al lado de otra y la cola encima. Mientras, mira con unos ojos penetrantes, como si fuera incapaz de romper un plato, y uno no puede resistir la tentación de darle un beso en la nariz. ¡Zas!, cuando te das cuenta, te ha mordido en la tuya. Herido en sus sentimientos, se retrae. En este caso la culpa es de uno mismo por haber pasado por alto los signos de defensa. Hay que saber interpretarlos para evitar dolorosos malentendidos.

Un golpe con el puño.

Lenguaje corporal

Cuando mis gatas Nina y Matilda quieren relacionarse, siempre señalan sus deseos de acercamiento de la misma manera. Si se cruzan sin muestras de atención, Matilda estira la cabeza con las orejas dobladas hacia delante y se aproxima olfateando a Nina. Ésta, con las orejas un poco ladeadas, empuja la barbilla contra el vientre de la otra sin interés. Al mismo tiempo dobla ligeramente las patas delanteras.

Matilda, por el contrario, se muestra resuelta, se hace la importante y mueve su cola de un lado para otro. Nina la sigue a cierta distancia y de vez en cuando palpa a su compañera erizada en la cabeza. Ahora Matilda puede decidirse. Se sienta tranquilamente y al cabo de un rato se va. El encuentro no acaba en nada por esta vez. En otros momentos, se muestra arisca, dispuesta para el ataque. Entonces se agazapa al lado derecho de Nina, sin perderla de vista, y se lanza contra ella. Ésta ha debido comprender el «lenguaje» y haberse protegido. O bien entra en la pelea, o salta a algún rinconcito elevado, desde donde gruñe a su atacante.

Lenguaje oral

Todo el mundo conoce el ronquido de un gato. Es el ruido de la satisfacción colmada y, en general, de una sensación de bienestar. También el maullido es tan natural al gato como el agua al pez. Suena en todas las tonalidades y gradaciones; por ejemplo, cuando un pequeño gatito se siente abandonado o un gato adulto está insatisfecho. Sucede a

Fotos:
el juego con la presa. Antes de dar el mordisco de gracia, procura amedrentar a su presa con rápidos zarpazos, jugar a cogerla y volver a soltarla. Esto no es un acto de crueldad, sino que es el comportamiento natural de un gato que no se siente del todo seguro de sí mismo.

53

Un gato tranquilo y sereno muestra una cara amistosa y distendida con las orejas dobladas hacia delante y parpadea con los ojos según la claridad.

menudo que los gatos más delicados son los más chillones, mientras que un gato imponente puede tener un débil hilo de voz, es una de esas ironías que nos depara la naturaleza. Una especie de comadreo es el arrullo, que los gatos tienen a mano para todo tipo de ocasiones. El enamorado lo usa para atraer a la gata en celo y al revés. Cuando la presa está fuera de su alcance, lanzan chillidos y chasquean los dientes. Mirando por la ventana han descubierto un pájaro en el balcón de enfrente. Frustradas sus ansias cazadoras, empiezan a murmurar. Si soplan, gargajean y gruñen es que quieren mantener al enemigo alejado.

La señal de confrontación entre dos gatos es básicamente una mirada fija mutua. El animal a la defensiva se agazapa, mientras que el agresor avanza.

Si, por el contrario, emiten un aullido prolongado y decreciente, el denominado canto felino, manifiestan una amenaza antes de una batalla. Es erróneo interpretarlo como «canción amorosa».
Cuando el adversario resulta ser más fuerte y quieren salvar el pellejo, chillan con los tonos más agudos.

El gato sigue su propio camino

El escritor inglés Rudyard Kipling dio forma literaria a la idiosincrasia de estos animales en el cuento «El gato que iba solo por su cuenta», pero en un punto se equivocó. En concreto, al escribir: «Tanto después, como entre tanto, cuando sale la luna y cae la noche, el gato sale a pasear a solas, y para él un lugar es como otro.» Este felino distingue muy bien un lugar de otro, y a pesar de su acusado indivualismo, procura relacionarse; eso sí, a su discreta manera.

El hogar por antonomasia

Este concepto que han acuñado los investigadores del comportamiento se refiere al lugar en el que habita el gato. Se trata de sitios en los que viven los hombres, no sólo en el caso de los gatos de vivienda, sino también de los que tienen libre acceso al exterior y de los que se encuentran en las granjas o en los establos. En cada uno de esos lugares han elegido cobijos seguros, que «poseen» con una especial predilección (v. Los gatos en pisos, pág. 18). Compartir este hogar con otros habitantes, con sus «personas» u otros gatos, no les importa siempre y cuando haya espacio suficiente para evitar a los demás según el humor que tengan.
Como «propiedad personal» el gato considera también el entorno próximo, el jardín, el patio que rodea un bloque, aun cuando esté separado por muros, los prados y los caminos en torno a la granja. Mis gatos, que «veranean» regularmente en una aldea italiana, han trazado allí cuidadosamente las fronteras de su hogar por antonomasia. Para Nina discurre por los escalones inferiores de la escalera de entrada. Matilda ha

incluido un pequeño muro, al que sólo se puede acceder por la escalera. Claro está que este trampolín es utilizado en nuestra ausencia por otros gatos autóctonos, pero cuando mis gatos están allí, los lugareños los evitan con un rodeo. El jardín del vecino: este problema ocasiona frecuentes disputas. Es cierto que hay leyes por las cuales el propietario de un jardín no puede obligar a su vecino a mantener encerrado en su casa al gato, sólo porque éste cace algún pájaro de vez en cuando, atrape un pez del estanque o ensucie las cajas de juegos. Pero es igual de cierto que existen otras que prescriben justo lo contrario. Yo les aconsejaría que previamente dejaran claras estas cosas, así como las consecuencias de la manutención de un gato en casa (v. pág. 4-6).

El territorio

Seguro que usted se ha encontrado más de una vez en sus paseos por el campo con algún gato. Permanecía agazapado bajo un arbusto al borde del camino o miraba con la cabeza alta y las orejas en punta desde un prado. Sin saberlo, estaba siguiendo las sendas que el gato utiliza en las correrías por su territorio. Este es más o menos grande según sus ganas y sobre él se tiende una tupida red de caminos, que el gato utiliza para sus cacerías, como acogedores escondrijos o puntos de encuentro. También los demás gatos de la zona utilizan estas sendas, pero en otro momento a ser posible. El encuentro frente a frente no se estima. Cuando un gato descubre a otro en sus excursiones, no lo pierde de vista, pero procura mantenerse a una cierta distancia y evitar que se crucen sus

caminos. Si se cruzan a pesar de todo, se sientan a una distancia de cortesía y esperan a que uno se decida a proseguir su camino. O bien se alejan en direcciones opuestas.

Las peleas de gatos

Cuando estos animales se pelean, lo que está en juego es la jerarquía o una hembra. En mi residencia veraniega en Italia, en la que muchos gatos se reparten el territorio, pude observar a menudo la siguiente escena:

Un gato blanco sucio, con un desgarro en una oreja y una cara como si la hubiera metido hasta el fondo en un montón de ceniza, descubre que su rival, un esbelto y elegante Casanova, de un azul cartujo, se pasea por la plaza. En el acto tensa sus piernas y se acerca con el lomo erizado y la cola en forma de gancho a su adversario, que

Con las orejas hacia atrás está dispuesto al ataque.

Si está a la defensiva, sus orejas se recogen hacia los lados y sus pupilas se dilatan.

Las orejas y la cola señalan en el encuentro entre dos gatos si se van a pelear. En esta situación, el de la derecha saltará sobre el otro en cualquier momento, tratando de morderle en la nuca.

La otra punta queda muy lejos.

Sin asomo de miedo...

hace otro tanto. En cuestión de instantes se lanzan uno contra otro. Las orejas están de pico y dobladas hacia atrás, las pupilas contraídas. Aschnase hace sonar su canto ascendente y descendente, sin que el Casanova tarde en unírsele. Situados frente a frente, giran la cabeza de un lado para otro sin perderse de vista. En esta postura permanecen por espacio de varios minutos, aullando y maullando, gruñendo y bramando, sin ceder un ápice. Sólo las puntas de la cola se mueven cada vez más inquietas. De repente, Aschnase arremete y trata de morder a Casanova en la nuca. Este se tira de espaldas como un rayo, y para el golpe con los dientes y las uñas. Acto seguido ruedan entrelazados por el suelo en medio de chillidos. Se separan con la misma rapidez y se vuelven a situar frente a frente. Esto se repite varias veces. Al cabo, Casanova abandona y se tumba en el suelo con las orejas levantadas. Aschnase hace un par de gestos amenazantes y

abandona envalentonado el campo de batalla como vencedor. Poco después se aleja también Casanova del lugar.

Reuniones de gatos
Estos animales nunca dejan de dar sorpresas. Una de ellas tiene que ver con el individualismo del que se habla tanto. No son precisamente huraños y aislados como se les suele ver en el coliseo romano, sino que se les puede ver en animados corrillos. Este hecho, contrario a toda experiencia con los gatos, es igual de inusual que las reuniones felinas. Por las noches los gatos se dirigen, siempre que tienen la oportunidad, a puntos de encuentro secretos. Allí se sientan armoniosamente gatos y gatas, arrimados de vez en cuando, lamiéndose o frotando sus cabezas. Ninguna señal de hostilidad, a no ser que uno se acerque demasiado. Las caras están «tranquilas y serenas, casi se podría decir que amables», escribe el estudioso del comportamiento felino

no ha podido ser.

Será mejor darse la vuelta.

Paul Layhausen. No sucede ninguna otra cosa. Al cabo de unas horas, a veces dura toda la noche, la reunión se disuelve.

La hermandad de los gatos

También este concepto proviene de Layhausen. Se refiere a la jerarquía formal, por la que se rigen los gatos en una determinada zona. Los jóvenes disfrutan hasta una determinada edad de una especie de plazo en esta fraternidad. Son aceptados, o, más bien, traídos al seno de esta estructura, pero no se les involucra en ninguna pelea. Se les da tiempo para que se acostumbren a los inconvenientes de la vida gatuna. Cuando mi gato doméstico Morellino irrumpió con sólo un año en la comunidad italiana, pude observar el siguiente comportamiento. Los autóctonos, unos cinco, se habían reunido en torno a la casa al atardecer, y Morellino se les acercó uno por uno, con una torpeza juguetona a mi parecer. Ellos le

dejaron hacer, le sonrieron afables, le olfatearon y se lo llevaron «a rastras». En cualquier caso, tardó tres días en aparecer, y cuando volvió, su aspecto era radiante, bien alimentado y sin un pelo fuera de su sitio. Cuando Morellino volvió a esa zona un año después, ya como adulto y como gato castrado, el resultado fue del todo diferente. En esta ocasión se las tuvo que ver con el gato del vecino, un gato atigrado bastante joven, que señoreaba en el pequeño cuadrilátero de la plaza. Dado el carácter valentón de Pucci, los demás no osaban acercársele, ni mucho menos tratar de hacer valer antiguos derechos sobre la zona. Entonces apareció Morellino, que por su naturaleza comunicativa fue hasta Pucci ni corto ni perezoso. Se rozaron los hocicos, luego el atigrado se separó, orinó en el tiesto más cercano y se abrió paso hasta el centro de la plaza. Ya no se trataba sólo del rango, sino de hacer ver que Morellino no era rival para él.

Fotos: acrobacias. Ya a partir de la sexta semana se entrenan para su posterior encuentro con presas pequeñas y escurridizas. Para ello necesitan un control completo del cuerpo y una destreza ejemplar.

57

Trastornos de salud

Esto extraña	Posibles causas, a las que usted mismo puede poner remedio
Está tumbado todo el tiempo	aburrimiento, no tiene incentivos para jugar
No come	rechaza la comida que se le pone
Vómitos	ingestión de hierbas, ingestión de pelos al limpiarse, comida demasiado fría o tomada demasiado deprisa
Escupe	gran excitación
Mal aliento	nada más comer, pescado, por ejemplo
Siempre sediento	restos de comida con demasiadas especias
Diarrea	mala alimentación (leche, hígado crudo, comida algo descompuesta)
Come demasiado	necesita recuperarse después de varios días de vagabundeo o de un parto
Estreñimiento	problemas debidos a falta de ejercicio o a una alimentación equivocada
Le lloran los ojos	conjuntivitis por corrientes de aire o detergentes demasiado intensos
Estornuda	irritación de la mucosa nasal, alergia
Tose	se ha atragantado
Respiración acelerada	jadeos debidos al calor, un susto, miedo o estrés
Se rasca	limpia su pelaje
Caída de la membrana nictitante	fenómeno frecuente que causa malestar; hinchazón por una herida sufrida en el ojo al pelear
Sacudidas o rigidez de la cabeza	
Sangra	pequeña herida cutánea

...ial de alarma cuando ...arezcan estos síntomas	posible diagnóstico y tratamiento por el veterinario
...cuentes vómitos o ...rreas durante más de ...horas, problemas ...oiratorios, infarto	incierto, infección vírica, envenenamiento, infección bacteriana
...mitos o diarrea	todo es posible
...atía, diarrea	contagio de parásitos, envenenamiento (por plantas quizá), infección vírica
...come	caries, infección de las encías
...mitos, tiritona, esputos	infección de la cavidad bucal, infección de las encías, indigestión, falta de vitamina B
...dida de peso, vómitos	afección del hígado o de los riñones, diabetes
...crementos con sangre	infección vírica, contagio de parásitos, infección bacteriana
...crementos de color ...rroso, pelo erizado.	contagio de parásitos, afección del páncreas
...nza gritos lastimosos	estreñimiento, cierre del recto, infección de la vejiga y del uréter
...creción purulenta	conjuntivitis purulenta, herida ocular, gripe de gato
...bre, problemas ...spiratorios, tos	resfriado, infección vírica
...ucosidad, fiebre, ...oblemas respiratorios	resfriado, bronquitis, infección vírica, cuerpos extraños en las fauces
...ebre, tos	infección de las vías respiratorias.
...rasca por todo el ...erpo sin parar	ácaros, pulgas, piojos, infecciones cutáneas
...creción ocular	herida, infección, cuerpos extraños en el ojo, tumor
...rasca sólo detrás de la ...eja, dolores	ácaros en las orejas, infección del oído medio
...sale sangre por la ...oca, el recto, la vagina, el ...ne o una herida ...nsiderable	infección del intestino, de la matriz o de algún otro órgano, herida en una pelea, accidente

Índice alfabético
con explicación de tecnicismos

Los números de página en **negrita** hacen referencia a fotos en color o a dibujos. C = cubierta.

Indicaciones importantes

Al tratar con gatos se pueden producir heridas por arañazos o mordiscos. Recurra inmediatamente al médico.
Realice todas las vacunaciones y desparasitaciones necesarias con su gato (v. pág. 30-31) y no arriesgue su salud ni la de su gato. Algunas enfermedades y parásitos son contagiosos para el hombre (v. pág. 31-32). A la mínima señal de síntomas de una enfermedad (v. tabla, pág. 58-59) acuda al veterinario. En caso de duda, vaya usted mismo al médico. Hay gente que reacciona alérgicamente a los pelos de gatos. En caso de duda, pregunte al médico antes de la compra. Existe la posibilidad de que el gato cause daño a la propiedad ajena o que provoque accidentes. Un seguro de amplia cobertura va en su propio interés; en cualquier caso, debe tener cubierta la responsabilidad civil.

Las fotos de las cubiertas
Cubierta 1: Gato doméstico
Cubierta 3: Amistad felina.
Contracubierta: shaded golden

Los fotógrafos:
Dalton/NHPA: pág. 28; Geduldig: pág. 49;
Hinz: pág. 8, 9, 40, 41, 44 y 45;
Kronmüller/IFA: pág.17; Skogstad: C 2,
pág. 52, 53: Tony Stone: pág. 16; Wegler:
las restantes.

Título original: *Katzen*

Traducción: *Jesús Pérez García*

ISBN:950-24-0867-5
Se ha hecho el depósito que marca la ley 11.723

© Gräfe und Unzer GmbH, München
y EDITORIAL EVEREST, S. A.
Edición especial para Editorial ALBATROS SACI
J. Salguero 2745 5º 51 (1425)
Buenos Aires - República Argentina
Email: Info@edalbatros.com.ar

Impreso en España